基础汉语课本

修 订 本

第 一 册

ELEMENTARY CHINESE
READERS

REVISED EDITION
BOOK ONE

北京语言学院 编

华 语 教 学 出 版 社

北 京

SINOLINGUA

BEIJING

First Edition   1994
Second Printing   1997

ISBN 7-80052-134-6
Copyright 1994 by Sinolingua
Published by Sinolingua
24 Baiwanzhuang Road, Beijing 100037, China
Printed by Beijing Foreign Languages Printing House
Distributed by China International
Book Trading Corporation
35 Chegongzhuang Xilu, P.O. Box 399
Beijing 100044, China

Printed in the People's Republic of China

出 版 者 的 话

《基础汉语课本》是中国对外开放后第一部向国内外发行的汉语教材，有英、法、德、西班牙等四种文版，并配以标准普通话录音磁带、教师手册、汉字练习本、习字卡片以及成语故事，名著缩写等课外辅助读物多种，形成系列。出版后迅即受到国内外汉语教学界的重视，为国内外许多院校、团体、自学者所采用。十年来多次重印，行销各大洲。

本书经过了十年的广泛教学实践，这期间，汉语教学理论研究的成果，以及广大读者的热情鼓励和积极提供的具体建议，使本书的修订已具有扎实的基础，现在又经原编著者李培元、任远两位先生，从繁忙的教学和研究工作中，抽出时间，集中力量，广采各方意见，精心修订。我们深信，《课本》又踏上一个新的起点。这里我们特意要告诉读者的是：

修订本仍然保持了原书的特点和原书的基本结构，保留了语法点的布局，这是挚爱本书的广大读者的愿望，便于已经熟悉《课本》的教师们继续使用，也利于各校按原来的教学计划组织教学。

修订本坚持了以结构为主，相对集中语法教学，明确了本书的对象是已具相当母语语言知识的成年外国人。这种教学法是许多专家教师们所肯定的，也为本书的实践所验证。与此同时，修订本也补充了原版的不足，增加了不少实际生活用语，使之学以致用，并引发学生的兴趣和信心。

1

十年来，中国社会变化很大。因此修订本对课文内容作了较多的更新，使学生能接触新的社会现象和正确使用生活语言。

修订本的另一个较大的变动是删去了繁杂、重复部分，使语言知识的教学既科学系统又简明易懂，减轻学生的学习负担，提高教学效果；原版中有些内容准备移到教师手册里去，这样，更便于教师根据学习者的不同情况因材施教。

我们出版者衷心感谢编著者的辛勤劳动，真诚感谢国内外汉语教学界和广大读者对我们出版物的关怀爱护。今后，我们仍然希望使用这套课本的教师和学习者提出宝贵意见。

华语教学出版社编辑部

1989年6月

PUBLISHER'S NOTE

Elementary Chinese Readers is the first set of textbooks distributed abroad since the open-door policy was adopted in China. This four-volume series of textbooks is published in English, French, German, and Spanish. Teaching aids available to accompany the textbooks include cassette tapes in standard *putonghua* Chinese, teacher's manuals, Chinese character exercise books, flash cards, and some supplementary reading materials such as stories based on Chinese proverbs and abridged classical novels. This programme of materials has received great attention in Chinese-teaching circles in and outside China and has been used in many colleges and institutes as well as by self-taught learners. Over the past ten years, these materials have been repeatedly printed and distributed throughout the world.

New developments in language teaching theories and the warm responses and constructive suggestions from the users of the books have paved the way for the current revisions. Professors Li Peiyuan and Ren Yuan, the original compilers, though busy with their teaching and research work, have dedicated themselves to the revision work which included taking into consideration numerous comments and suggestions. We have no doubt that the resulting revised edition will mark a new and expanded stage in the use of these materials.

Though the revised edition has changed for the better, it still retains the effective features and basic structure of the original books. The arrangement of grammatical points throughout the books has also remained the same to comply with the wishes of the large number of readers who especially like this aspect of the books. This will also facilitate the continued use of the books by teachers who are already familiar with the materials, and ease the introduction of the revised edition into established teaching programmes which are based upon these texts.

A structural approach and a relatively concentrated grammatical approach in teaching have been retained in the revised edition, thus making the books suitable for adult foreign learners. These teaching methods have been tried and tested by teachers and linguists and have been proved to be effective over the past ten years. Meanwhile, the revised edition has been enriched by the addition of many words and phrases in daily use, which will help to build up students' interest and confidence while they are learning the language.

There have been great changes in Chinese society over the last ten years. As a result, the dialogues and prose passages in the revised edition have been updated to acquaint students with current social phenomena and to enable them to use the daily language correctly in day-to-day situations.

Another major change in the revised edition is the elimination of superfluous and repetitive material, making the arrangement of the textbooks more scientific and systematic and also rendering them more concise and easy to understand. In this way, study efficiency will be enhanced because the students' load is lightened. Parts of the contents of the original books have been moved to the teacher's manuals so that teachers can make their own lesson plans according to different learning situations.

We deeply appreciate the hard work of the compilers and think you will agree that their efforts have paid off. We also appreciate the helpful suggestions and comments we have received from Chinese-teaching circles and from readers. We hope to continue to hear more valuable opinions and constructive suggestions from the teachers and students who use the revised edition of *Elementary Chinese Readers*.

Sinolingua

4

修 订 版 说 明

  《基础汉语课本》自1980年出版以来，国内外许多院校及自学者广为采用。在此期间，不少教师及读者对这套教材提出了一些有益的意见和建议。我们参考这些意见、建议，对这套教材进行了修订。

  修订本大致作了以下改动：

  1.将原教材的五册（包括续编）改为四册。一、二册是语音语法部分，三、四册是短文及文选。

  2.一、二册的体例，语法体系及语法点的分布基本未变，抽掉了原有的复习课。

  3."句型替换"及"课文"，根据不同情况，分别作了适当的修改或抽换。

  4."注释"与"语法"分开，在保持原有间架结构的基础上，增加了一些语言功能及文化背景等内容。

  5."练习"部分作了精选、归并或重新设计，使其既保持形式的多样性，又体现实用性和有效性。

  6.本着有利于学生逐步掌握、循序渐进的原则，第一册中的"替换练习"加了声调符号，"课文"加了拼音；第二册中的"课文"加了声调符号。

  参加这次修订工作的是《基础汉语课本》的部分编者：李培元、任远。英文翻译：盛炎。

  欢迎使用本教材的各位老师及学习者提出宝贵意见。

编　者

1988年5月

NOTES TO THE SECOND EDITION

Since the first edition of *Elementary Chinese Readers* was published in 1980, it has been widely used by many universities and individual learners both at home and abroad. Many teachers and students have contributed valuable suggestions for its improvement. The second edition is based on their contributions.

The new edition has the following revisions and improvements:

1. The original five books have been condensed into four books. The first two cover Chinese phonetics and grammar; the other two contain short stories and selected articles.

2. The format, grammar and grammatical progression of the first two books remain the same as those in the original, except that review lessons are deleted.

3. Some of the original substitution drills and texts have been changed or revised for pedagogical reasons.

4. Notes and grammar explanations are arranged in two separate sections. The textbook is revised to be more communication oriented and, as a new feature, cultural contexts in which the language is used are added within the original format and framework.

5. The original exercises have been revised by carefully sifting, amalgamating or redesigning the existing materials, so that they are more varied, more practical and more effective.

6. Tone-graphs are used in the substitution drills of the first book and in the texts of the second book, while the phonetic alphabet is used in the texts of the first book. This reflects the principle that gradual progress is beneficial to the learners.

The revisers of *Elementary Chinese Readers* are Li Peiyuan and Ren Yuan. The English translator is Sheng Yan.

All comments and suggestions from the users of the textbook are most welcome!

Compilers
May, 1988

附：

原 版 说 明

1.本书是北京语言学院外国留学生学习汉语所用的教材，也适合于一般外国人学习汉语使用。

2.本书着重培养学生实际使用汉语的能力。编写中力求贯彻循序渐进、由浅入深的原则。教语音的前十课，尽量按汉语语音系统，把会话练习和声、韵、调的单项训练结合起来。从第十一课起，以常用句型为重点，通过替换练习使学生掌握语法点，通过课文训练学生综合运用汉语的技能。课文后边有语法和词语的简要注释。

3.每课后都有一定数量的练习材料，这些练习材料，可作为课外作业，也可以在课堂上使用。第十一课以后，每三课有一课复习，通过课文和练习或者语法总结，复习巩固已学的生词和语法。

4.本书采用中国正式推行的三批简化汉字。考虑到国外学习者的方便，我们对每课汉字表中的简化字注出了繁体字。

5.本书编者：李培元、任远、赵淑华、刘社会、刘山、邵佩珍、王砚农、来思平。英文翻译：何培慧。插图：金亭亭。希望读者对本书提出批评意见。

编　者
1979年3月

EXPLANATORY NOTES

1. This textbook has been compiled for use by foreign students of Chinese at Beijing Language Institute and other students of Chinese as a foreign language.

2. The textbook aims at training students in practical skills. In compiling the book, we have made every effort to observe the following principles: to teach the language in a logical order and to advance step by step. In the first ten lessons on phonetics we try to present the phonetic structure of Chinese as systematically as possible through dialogues, without neglecting drills on the initials, finals and tones of single characters. From Lesson 11 on, we give a number of common sentence patterns in each lesson to illustrate certain grammar points which are practised intensively through substitution drills, while the texts will help students express themselves in connected speech. In each lesson we also provide brief notes on grammar and on words and phrases.

3. Each lesson contains ample exercises which can either be set as homework or used in class. From Lesson 11 on, there is a review after every three lessons which consists of either a text and some exercises or a summary of grammar points taught in the preceding lessons.

4. In the book, we have adopted all the simplifications of Chinese characters which have been officially published and are in common use. For the convenience of learners abroad, the original complex form of each simplified Chinese character appearing for the first time is given in the table of Chinese characters for each lesson.

5. The compilers (Li Peiyuan, Ren Yuan, Zhao Shuhua, Liu Shehui, Liu Shan, Shao Peizhen, Wang Yannong and Lai Siping), the translator (He Peihui) and the illustrator (Jin Tingting) sincerely welcome the users of this textbook to inform us of their opinions and suggestions.

Compilers
March 1979

目　录

CONTENTS

9

韵母　Final　-i [ʅ]

声母　Initials　zh　ch　(sh)　r

注释　Notes

    1. 声母　Initials　zh　ch　(sh)　r

    2. zhi chi shi ri 中的韵母

       The final in zhi, chi, shi, ri

    3. 儿化韵母　Retroflex finals

    4. 隔音符号 Dividing mark

韵母和声母小结 A Brief Summary of Finals and Initials

注释　Notes

    ① "您"

    ② "您贵姓"

课堂用语　Classroom Expressions

北京语音表　Table of the Speech Sounds of Beijing
            Dialect

注释　Notes

    ①代词 "她"　Pronoun　她

    ②连词 "和"　Conjunction　和

语法　Grammar

    1. 汉语的语序 Word order in Chinese

    2. "是" 字句（一） The 是-sentence (1)

    3. 用 "吗" 的疑问句 The interrogative sentence
       ending with 吗

注释　Note

注释　Note

　　①词尾"们"　Plural suffix 们

语法　Grammar

　1.　动词谓语句　Sentences with a verbal predicate

　2.　动词谓语句的否定　Negation of the sentence
　　　　with a verbal predicate

注释　Notes

　　①"是的"

　　②"常"和"常常"　常 and 常常

语法　Grammar

　1.　状语　Adverbial adjunct

　2.　"都"和"也"　都 and 也

　3.　用"……, 好吗?"提问
　　　　Forming a question with . . ., 好吗?

　4.　量词"些"　Measure word 些

注释　Note

　　①"操场上"

语法　Grammar

　1.　"是"字句（二）The 是-sentence (2)

　2.　选择疑问句　Choice-type questions

注释　Note

　　①"二"

语法　Grammar

　1.　称数法(一)　Numeration

　2.　疑问代词"多少"　Interrogative pronoun 多少

汉 语 拼 音 字 母 表
The Chinese Phonetic Alphabet

印刷体 Printed Forms	书写体 Written Forms	字母名称 Names	印刷体 Printed Forms	书写体 Written Forms	字母名称 Names
A ɑ	*A a*	[a]	N n	*N n*	[nɛ]
B b	*B b*	[pɛ]	O o	*O o*	[o]
C c	*C c*	[ts'ɛ]	P p	*P p*	[p'ɛ]
D d	*D d*	[tɛ]	Q q	*Q q*	[tɕ'iou]
E e	*E e*	[ɤ]	R r	*R r*	[ar]
F f	*F f*	[ɛf]	S s	*S s*	[ɛs]
G g	*G g*	[kɛ]	T t	*T t*	[t'ɛ]
H h	*H h*	[xa]	U u	*U u*	[u]
I i	*I i*	[i]	V v	*V v*	[vɛ]
J j	*J j*	[tɕiɛ]	W w	*W w*	[wa]
K k	*K k*	[k'ɛ]	X x	*X x*	[ɕi]
L l	*L l*	[ɛl]	Y y	*Y y*	[ja]
M m	*M m*	[ɛm]	Z z	*Z z*	[tsɛ]

词类简称表

Abbreviations

1. （名）	名词	míngcí	noun
2. （代）	代词	dàicí	pronoun
3. （动）	动词	dòngcí	verb
4. （能动）	能愿动词	néngyuàndòngcí	optative verb
5. （形）	形容词	xíngróngcí	adjective
6. （数）	数词	shùcí	numeral
7. （量）	量词	liàngcí	measure word
8. （副）	副词	fùcí	adverb
9. （介）	介词	jiècí	preposition
10. （连）	连词	liáncí	conjunction
11. （助）	助词	zhùcí	particle
	动态助词	dòngtài zhùcí	aspect particle
	结构助词	jiégòu zhùcí	structural particle
	语气助词	yǔqì zhùcí	modal particle
12. （叹）	叹词	tàncí	interjection
13. （象声）	象声词	xiàngshēngcí	onomatopoeia
（头）	词头	cítóu	prefix
（尾）	词尾	cíwěi	suffix
14. （专）	专名	zhuānmíng	proper noun

发 音 器 官

Organs of Speech

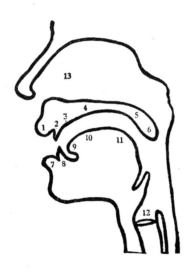

1. 上唇　upper lip
2. 上齿　upper teeth
3. 牙床　teethridge
4. 硬腭　hard palate
5. 软腭　soft palate
6. 小舌　uvula
7. 下唇　lower lip
8. 下齿　lower teeth
9. 舌尖　tip of tongue
10. 舌面　blade of tongue
11. 舌根　back of tongue
12. 声带　vocal cords
13. 鼻腔　nasal cavity

第一课　Lesson　1

一、会话　Conversation

A:　Nǐ hǎo!

你 好!

B:　Nǐ hǎo!

你 好!

二、生词和汉字　New Words and Chinese Characters

1.	nǐ	（代）	你	you (s.)
2.	hǎo	（形）	好	good, well
3.	yī	（数）	一	one
4.	wǔ	（数）	五	five
5.	bā	（数）	八	eight

6.   tā   he, she
7.   bù   not, no
8.   dà   big
9.   yú   fish

三、韵母　Finals

a   o   e   i   u   ü
ai   ei   ao   ou

四、声母　Initials

b   p   m   f
d   t   n   l
g   k   h

五、声调　Tones

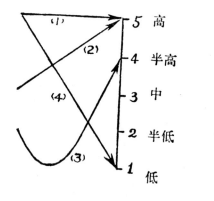

5 高   ˉ：第一声   1st tone
4 半高   ˊ：第二声   2nd tone
3 中   ˇ：第三声   3rd tone
2 半低   ˋ：第四声   4th tone
1 低

声调示意图　Figure showing the four tones

声调不同，意义不同。例如：

When a syllable is pronounced in different tones, it has different meanings, e.g.

mā	má	mǎ	mà
dā	dá	dǎ	dà

六、注释 Notes

1. 声母和韵母 Initials and finals

汉语的音节大多数是由声母和韵母拼合而成的。音节开头的辅音是声母，其余部分是韵母。例如：ni，其中 n 是声母，i 是韵母。

现代汉语有21个声母，38个韵母。声母都是由一个辅音充当的。韵母有的是单元音，叫单韵母，如 i；有的是复合元音，叫复韵母，如 ao；有的是元音加鼻辅音，叫鼻韵母，如 an。

According to traditional Chinese phonology, a syllable in Chinese is generally made up of an initial and a final. The initial is the consonantal beginning of a syllable, and the final is the part of the syllable excluding the initial. For example, in *ni*, *n* is the initial, and *i* is the final.

There are 21 initials and 38 finals in Chinese. All the initials are consonants except for the zero initial (i.e. no initial) e.g. *an*, and all the finals consist of a vowel (either simple or compound) vowel, or a vowel plus a nasal consonant. The simple vowel is called a simple final, e.g. *i*; the compound vowel is called a compound final, e.g. *ao*; and the vowel plus a nasal consonant is called a nasal final, e.g. *an*.

2. 单韵母 a o e i u ü Simple finals *a, o, e, i, u, ü* ...

a 开口度最大，舌位最低，唇不圆。

a is produced by lowering the tongue, with the mouth wide-

3

open and the lips unrounded.

o 开口度中等，舌位半高、偏后，圆唇。

o is produced by keeping the tongue in a half raised position with the back of the tongue towards the soft palate. The mouth is half-open, and the lips are rounded

e 开口度中等，舌位半高、偏后，唇不圆。

e is produced by keeping the tongue in a half raised position with the back of the tongue towards the soft palate. The mouth is half-open, and the lips are unrounded.

i 开口度最小，唇扁平，舌位高、偏前。

i is produced by raising the front blade of the tongue towards the hard palate, with the mouth a little open and the lips flat.

u 开口度最小，唇最圆，舌位高，偏后。

u is produced by keeping the back of the tongue towards the soft palate with the mouth slightly open, and the lips as rounded as possible.

ü 舌位高、偏前，是与 i [i] 相对的圆唇音。

ü is produced by raising the front of the blade of the

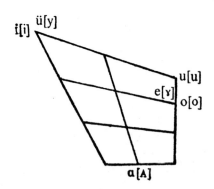

4

tongue towards the hard palate with the lips rounded. It is
the corresponding lip-rounded sound to *i* [i].

3. 复韵母 ai ei ao ou　Compound finals *ai, ei , ao, ou*

　ai　发复韵母 ai 时，舌位从 a 向 i 滑动，前面的 a 要念得
长而响亮，后面的 i 要念得轻而短。

ai is produced by starting from *a* and then gliding towards
i. a is pronounced longer, louder and clearer, and *i* shorter and
weaker.

　ei ao ou　发音要领跟 ai 一样，前一个元音要念得长而响
亮，后一个元音要念得轻而短。

Similarly, the first constituent of *ei, ao* and *ou* is also pro-
nounced longer, louder and clearer than the second one.

4. 送气音和不送气音　Aspirated　and unaspirated con-
sonants.

　声母　b　p 和 d　t　是两组相对应的不送气音和送气音。
每组的两个辅音发音部位完全一样，只是在发　p　t　时气流要

b、p发音示意图

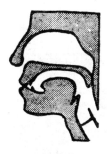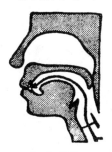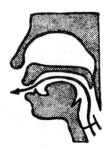

（1）准备	（2）蓄气	（3）发音
Lip-position	Holding breath	Releasing breath

d、t发音示意图

 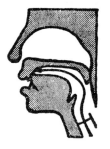 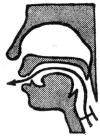

（1）准备	（2）蓄气	（3）发音
Lip-position	Holding breate	Releasing breath

用力吐出，称为"送气音"。发 b d 时，气流爆发而出，不送气，称为"不送气音"。以后还要学几组送气音和不送气音。

The initials *b* and *p* are a pair of bilabial voiceless plosives which have the same place of articulation. The only difference is that *b* is unaspirated while *p* is aspirated. *d* and *t* are another pair of bilabial voiceless plosives in which the first is unaspirated while the latter is aspirated. We shall later study several pairs of initials of this kind.

m   f

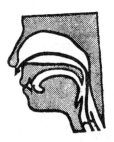   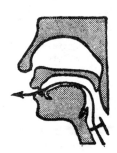

n

l

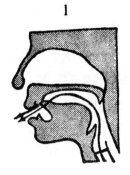

g、k 发音示意图

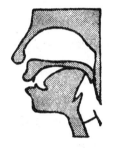 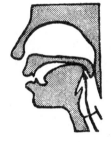 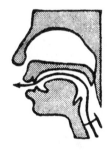

（1）准备　　　　　（2）蓄气　　　　　（3）发音
Lip-position　　　Holding breath　　Releasing breath

h

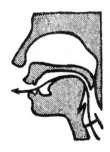

7

5. 声调 Tones

北京语音有四个基本声调，分别用声调符号"－"（第一声）、"ˊ"（第二声）、"ˇ"（第三声）、"ˋ"（第四声）来表示。声调不同，表示的意义不同。例如：yī（一），yì（亿）。

当一个音节只有一个元音时，声调符号标在元音上。元音 i 上有调号时，要去掉 i 上的点。例如：nǐ。一个音节如有两个或两个以上的元音时，声调符号要标在开口度最大的元音上。例如：hǎo。

Beijing dialect has four basic tones, usually numbered as 1st, 2nd, 3rd and 4th tones, represented respectively by −, ˊ, ˇ and ˋ. When a syllable is pronounced in different tones, it has different meanings, e.g. yī (一 one), yì (亿, hundred million).

When a syllable contains only a single vowel, the tone-graph is placed above it. When a tone-graph is placed above the vowel *i*, the dot over it is omitted, e.g. ni + ˇ nǐ. When the final is a compound vowel (a diphthong or a triphthong), the tone-graph is placed above the main element of the compound vowel (namely the one pronounced loud with the mouth wide open), e.g. hǎo.

6. 拼写规则 Spelling rules

i 自成音节时写成 yi。

u 自成音节时写成 wu。

ü 自成音节时写成 yu。

8

Standing alone as a syllable, *i* is written as *yi*, *u* as *wu* and *ü* as *yu*.

7. 你好

"你好"是汉语里常用的问候语，早上、中午、晚上见面时都可以用。对方的回答也说"你好"。

你好 is a common greeting in Chinese used upon meeting somebody in the morning, in the afternoon or in the evening. The answer expected is also 你好.

8. 汉字 Chinese characters

汉字是汉语的书写符号。一个音节写成一个汉字。汉字是由基本笔画组成的，汉字的基本笔画并不多。基本笔画组成独体字，一部分独体字或固定的组字成分构成合体字。每个字不管笔画多少，都应按同样大小的方格书写。写汉字要注意笔顺正确，结构紧凑匀称。

The Chinese characters are the written symbols of the Chinese language. Usually, one character stands for one syllable, and it is composed of several basic strokes. The number of possible basic strokes is in fact quite small. The basic characters, i.e. characters that cannot be broken down, are made up of basic strokes, and the compound characters are made up of basic characters or fixed components. All characters should be written so as to fit into equal-sized squares no matter how many strokes they have. The characters should be written in the proper stroke order, and their structure should be compact and well-balanced.

汉字的基本笔画 Basic Strokes of Chinese Characters

笔 画 Strokes	名 称 Name	运 笔 方 向 Directions of strokes	例 字 Examples
丶	点 diǎn	丶	不 们 六
一	横 héng	→	不 大 五
丨	竖 shù	↓	不 你 忙
丿	撇 piě	丿	八 不 大
丶	捺 nà	丶	八 大 体
㇀	提 tí	↗	汉 我 报
乛	横钩 hénggōu	乛	你 好 字
亅	竖钩 shùgōu	亅	你 好 小
㇂	斜钩 xiégōu	㇂	我 纸 民
乛	横折 héngzhé	乛	五 口 吗
㇄	竖折 shùzhé	㇄	忙 七 画

10

汉字笔顺规则　Rules of Stroke-order of Chinese Characters

例　字 Example	笔　顺 Stroke-order	规　　　则 Rules
十	一 十	先 横 后 竖 "héng" precedes "shù"
人	丿 人	先 撇 后 捺 "piě" precedes "nà"
三	一 二 三	从 上 到 下 from top to bottom
什	亻 什	从 左 到 右 from left to right
月	刀 月	从 外 到 内 from outside to inside
国	冂 国 国	先 里 头 后 封 口 inside precedes the sealing stroke
小	亅 小 小	先 中 间 后 两 边 middle precedes the two sides

七、练习 Exercises

1. 四个声调 Four tones

nī	ní	nǐ	nì	nǐ
hāo	háo	hǎo	hào	hǎo
yī	yí	yǐ	yì	yī
wū	wú	wǔ	wù	wǔ
bā	bá	bǎ	bà	bā
tā	tá	tǎ	tà	tǎ
bū	bú	bǔ	bù	bù
dā	dá	dǎ	dà	dà
yū	yú	yǔ	yù	yú

2. 辨音 Sound discrimination

bō	pō	bà	pà
dē	tē	dì	tì
mō	fō	mú	fú
nē	lē	nǔ	lǔ
gé	ké	gāi	kāi
dáo	táo	dòu	tòu
gǒu	gāo	kǎi	gǎi
gǎo	kǎo	yī	yū

3. 两个音节连读 Two syllables pronounced in succession

nǐ hǎo   tā hǎo

bù hǎo   dà yú

4. 汉字认读 Get to know Chinese characters

A: 你好！

B: 你好！

汉字表　Table of Chinese Characters

1	你	亻	（ノ 亻）
		尔	㇇（ノ ㇇）
			小（亅 小 小）
2	好	女	（𡿨 𡿨 女）
		子	（乛 了 子）
3	一	一	
4	五	一　丁　五　五	
5	八	ノ　八	

第二课　Lesson　2

A: Nǐ hǎo!
B: 你好!

C: Nǐmen hǎo! Máng ma?
你们 好! 忙 吗?

A: Wǒ hěn máng.
我 很 忙。

C: Nǐ máng ma?
你 忙 吗?

B: Wǒ bù máng.
我 不 忙。

14

二、生词和汉字　New Words and Chinese Characters

1. nǐmen　（代）你们　you (pl.)
2. máng　（形）忙　busy
3. ma　（助）吗　*an interrogative particle*
4. wǒ　（代）我　I, me
5. hěn　（副）很　very
6. bù　（副）不　no, not
7. wǒmen　（代）我们　we, us
8. dǒng　to understand
9. nán　difficult

三、韵母　Finals

an　　　en　　　ang　　　eng　　　ong
ua　　　uo　　　uai　　　uei (-ui)

四、注释　Notes

1. 鼻韵音 an en ang eng ong　Nasal finals *an*, *en*, *ang*, *eng*, *ong*

　　an 是个舌尖鼻韵母。先发 a，紧跟着舌尖抵向齿龈，同时软腭下垂，让气流从鼻腔流出。en 也是舌尖鼻韵母。发音要领与 an 相同。

　　ang 是个舌根鼻韵母。先发舌位靠后一点儿的 a，紧跟着舌头往后缩，舌根抵向软腭，同时软腭下垂，让气流从鼻腔流出。eng ong 也是舌根鼻韵母，发音要领与 ang 相同。

an is an alveolar nasal formed by *a* and *n*. It starts from *a* and then, with the tongue touching the gum and the soft palate relaxed, glides naturally towards *n* without any pause. *en* is also an alveolar nasal final pronounced in a similar way to *an*.

ang is a velar nasal final formed by *a* plus-*ng*. It is produced by starting with a back *a*, then raising the back of the tongue against the soft palate, and letting the air escape through the nasal cavity. *eng* and *ong* are also velar nasal finals pronounced in a similar way to *ang*.

2. 复韵母 ua uo Compound finals *ua* and *uo*

ua 发 ua 时，前一个元音要念得轻而短，后一个元音要念得长而响亮。uo（以及将要学的 ia ie üe）的发音要领跟 ua 相同。

ua is a compound final in which *u* is pronounced weaker and shorter, and *a* louder and longer. *uo* (and *ia*, *ie*, *ue*, which we shall learn later) is pronounced in a similar way to *ua*.

3. 三声变调（一） Changes in the 3rd tone (1)

两个三声音节连在一起时，第一个三声音节要读成第二声。例如：nǐ hǎo → ní hǎo.

When a 3rd tone is followed by another 3rd, the first one changes into a 2nd tone, e.g. nǐ hǎo → ní hǎo.

4. 轻声 Neutral tone

普通话里有一些音节读得又轻又短，叫作轻声。本书中轻声不标调号。例如：nimen.

In Chinese, there are certain syllables pronounced both weak and short which are defined as taking the neutral tone. This is indicated in this textbook by the absence of a tone-graph, e.g. nimen.

16

5. 拼写规则 Spelling rules

u 在一个音节开头时，将 u 写成 w. 例如：

u at the beginning of a syllable is written *w*, e.g.

ua — wa		uan — wan
uo — wo		uen — wen
uai — wai		uang — wang
uei — wei		ueng — weng

uei 前面加声母时写成 -ui。例如duì（对）huì（会）。声调符号标在 i 上。

uei preceded by an initial is written *-ui*, e.g. duì （对）huì （会）. The tone-graph is placed above *i*.

五、练习 Exercises

1. 四个声调 The four tones

māng	máng	mǎng	màng —— máng
wō	wó	wǒ	wò —— wǒ
hēn	hén	hěn	hèn —— hěn
dōng	dóng	dǒng	dòng —— dǒng
nān	nán	nǎn	nàn —— nán

2. 辨音 Sound discrimination

bān	bāng	dǎn	dǎng
gēn	gēng	fěn	fěng
hǎn	hěn	láng	léng
duō	tuō	kuā	guā
pān	pāng	tàn	tàng
pén	péng	nàn	nèn
máng	méng	děng	dǒng
kuài	guài	huì	kuì

3. 轻声 Neutral tone

wǒmen　　nǐmen　　tāmen

hǎo ma　　nán ma　　dǒng ma　　dà ma

báide　　lánde　　hóngde　　fěnde

bàba　　māma　　gēge　　dìdi

4. 三声的变调 Changes in the 3rd tone

$$hěn \begin{cases} gāo \\ nán \\ hǎo \\ dà \end{cases} \qquad nǐ \begin{cases} hē \\ máng \\ gěi \\ kàn \end{cases}$$

5. 朗读短句 Read aloud the following sentences.

A: Nán ma?

B: Bù nán.

A: Dǒng le ma?

B: Dǒng le.

6. 汉字认读 Get to know Chinese characters.

A
B： 你好！

C： 你们好！ 忙吗？

A： 我很忙。

C： 你忙吗？

B： 我不忙。

汉字表　Table of Chinese Characters

1	们	亻	們
		门（丶丨门）	
2	忙	忄（丶忄忄）	
		亡（丶亠亡）	
3	吗	口（丨冂口）	嗎
		马（乛马马）	
4	我	丿二千禾我我我	
5	很	彳（丿彳彳）	
		艮（乛刁彐艮艮艮）	
6	不	一丆才不	

第三课　Lesson　3

一、会话　Conversation

A: Nǐ hǎo!

你 好!

B: Nǐ hǎo!

你 好!

A: Nǐ shēntǐ hǎo ma?

你身体好 吗?

B: Hěn hǎo, xièxie.　Nǐ ne?

很 好, 谢谢。你呢?

A: Yě hěn hǎo.

也很 好。

二、生词和汉字　New Words and Chinese Characters

1. shēntǐ　　（名）身体　　body, health
2. xièxie　　（动）谢谢　　to thank
3. ne　　　　（助）呢　　　*a modal particle*
4. yě　　　　（副）也　　　also, too
5. liù　　　　（数）六　　　six
6. qī　　　　（数）七　　　seven
7. jiǔ　　　　（数）九　　　nine
8. xiǎo　　　　　　　　　　small, little
9. bú kèqi　　　　　　　　You're welcome, not at all

三、韵母　Finals

ia　　ie　　iao　　iou (-iu)

四、声母　Initials

j　　q　　x　　sh

五、注释　Notes

1. 声母 j q x sh　Initials *j p x sh*

j　舌面前部贴硬腭，舌尖顶下齿背，气流从舌面前部与硬腭间摩擦而出。声带不振动。

j is produced by raising the blade of the tongue to the hard palate, pressing the tip of the tongue against the back of the low-

21

er teeth, and then squeezing the air out through the channel be-
tween the front of the tongue and the hard palate. The vocal
cords do not vibrate.

q 发音部位与 j 一样，发音时要尽量送气。

j、q 发音示意图

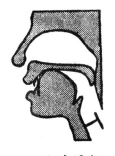 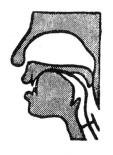 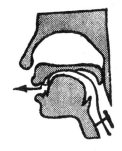

（1）准备　　　（2）蓄气　　　（3）发音
Lip-position　　Holding breath　　Releasing breath

q is produced in a similar way as j, except that q is post-
aspirated; that is to say, it should be produced with a strong
puff of breath.

x

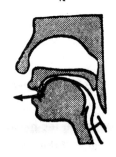

x 舌面前部与硬腭相近，形成一条
窄缝，气流摩擦而出。声带不振动。

x is produced by raising the blade of
the tongue towards the hard palate, and
then squeezing the air out through the
channel between the front of the tongue
and the hard palate. The vocal cords do
not vibrate.

sh

sh 舌尖上卷，接近硬腭前端，气流从舌尖与硬腭间摩擦而出。声带不振动。

This is a retroflex consonant. It is produced by turning up the tip of the tongue towards the front of the hard palate and squeezing the air out through the channel between the tip of the tongue and the hard palate. The vocal cords do not vibrate.

2. ie 中 e 的发音 Pronunciation of *e* in *ie*

复韵母 ie 和 üe（见第四课）中的e 是极少单独使用的单韵母 ê[ɛ]。

e in *ie* and *üe* (in Lesson Four) is the simple final *e* [ɛ], which is seldom used by itself.

3. 三声变调（二） Changes in the 3rd tone (2)

第三声在第一、二、四声和绝大部分轻声前边出现时，读作半三声，就是只读原来第三声的前一半降调。

When a 3rd tone is followed by any tone except another 3rd, it changes into a half 3rd tone, which is the full tone minus its terminal rising part.

4. "不"的变调 Tone changes of 不

"不"单用或在第一、二、三声前读第四声 (bù)，在第四声前读第二声 (bú)。例如 bù máng, bú kèqi。

不 is pronounced in the 4th tone when it stands by itself or precedes a 1st, 2nd or a 3rd tone (bù), but it is pronounced in the 2nd tone when it precedes a 4th tone, e.g. bù máng, bú kèqi.

5. 拼写规则 Spelling rules

ia ie iao iou 自成音节时写成 ya ye yao you。

iou 前边加声母时写成-iu, 例如： liù（六）, jiǔ（九）。声调
符号标在 u 上。

Standing alone as a syllable, *ia* is written as *ya*, *ie* as *ye*, *iao*
as *yao*, and *iou* as *you*.

iou is written as *-iu* when it is preceded by an initial, and the
tone-graph is placed above *u*, e.g. liù（六）, jiǔ（九）.

六、练习　Exercises

1. 四个声调　The four tones

shēn	shén	shěn	shèn——shēntǐ
xiē	xié	xiě	xiè——xièxie
yē	yé	yě	yè——yě
liū	liú	liǔ	liù——liù
qī	qí	qǐ	qì——qī
jiū	jiú	jiǔ	jiù——jiǔ
xiāo	xiáo	xiǎo	xiào——xiǎo
kē	ké	kě	kè——kèqi

2. 辨音　Sound discrimination

jījí	jīqì	xīqí	xī qì
jítǐ	qìtǐ	xítí	tíjī
jiējí	jīxiè	jiàqī	jiēqià

3. 双音节词语　Disyllabic words

   (1) 第一声加第一声　1st tone plus 1st tone

fēijī	fāshēng
jiāotōng	gōngkāi

   (2) 第一声加第二声　1st tone plus 2nd tone

jījí   jiāo yóu

yāoqiú   biāotí

(3) 第一声加第三声   1st tone plus 3rd tone

gāngbǐ   shēntǐ

xiūlǐ   bāoguǒ

(4) 第一声加第四声   1st tone plus 4th tone

kōngqì   jīdàn

shēngdiào   xūyào

(5) 第一声加轻声   1st tone plus neutral tone

bōli   xiāoxi

yīfu   xiūxi

4. 朗读会话   Read aloud the following conversation.

A: Nǐ shēntǐ hǎo ma?

B: Hěn hǎo, xièxie.   Nǐ ne?

A: Wǒ yě hěn hǎo.   Nǐ máng ma?

B: Hěn máng.

5. 汉字认读   Get to know Chinese characters.

A: 你好！

B: 你好！

A: 你身体好吗？

B: 很好，谢谢。你呢？

A: 也很好。

汉字表 Table of Chinese Characters

1	身	′ ′ ′ ′ ′ 自 自 身 身	
2	体	亻	體
		本（一 十 才 木 本）	
3	谢	讠（丶 讠）	謝
		身	
		寸（一 十 寸）	
4	呢	口	
		尼（一 コ 尸 尸 尼）	
5	也	一 也 也	
6	六	亠（丶 亠）	
		八（丿 八）	
7	七	一 七	
8	九	丿 九	

第四课 Lesson 4

一、会话 Conversation

A: Nǐ xuéxí shénme?

你学习什么?

B: Wǒ xuéxí Hànyǔ.

我学习汉语。

A: Tā xuéxí shénme?

他学习什么?

B: Tā yě xuéxí Hànyǔ.

他也学习汉语。

A: Hànyǔ nán ma?

汉语难吗?

27

B: Hànyǔ bù nán.

汉语 不 难。

二、生词和汉字　New Words and Chinese Characters

1. xuéxí	（动）	学习	to learn, to study
2. shénme	（代）	什么	what
3. hànyǔ	（名）	汉语	Chinese
4. tā	（代）	他	he, him
5. nán	（形）	难	difficult
6. tāmen	（代）	他们	they, them
7. wèn			to ask
8. wèntí			question
9. huídá			answer
10. duì			right, correct

三、韵母　Finals

uan　　uen(-un)　　uang　　ueng
üe　　　üan　　　　ün

四、注释　Notes

1. ong 与 ueng　*ong* and *ueng*

ong 只能与声母相拼，不能独立自成音节；ueng 不能与声母相拼，只能自成音节，拼写成 weng。

ong cannot stand alone as a syllable, and it can only be combined with an initial. *ueng* stands alone as a syllable written as *weng*, and it cannot be combined with any initial.

2. 拼写规则 Spelling rules

uen 前边加声母时写成 -un. 例如： dūn（吨）。

ü 和由 ü 开头的韵母和 j q x 相拼时，ü 上的两点儿省去。

üe、üan、ün 自成音节时，写作 yue、yuan、yun.

uen preceded by an initial is written as *-un,* e.g. dūn（吨）.

When *j, q* or *x* is followed by *ü* or a final beginning with *ü,* the two dots over *ü* are omitted.

Standing alone as a syllable, *üe* is written as *yue, üan* as *yuan,* and *ün* as *yun.*

五、练习 Exercises

1. 四个声调 The four tones

xuē	xué	xuě	xuè	——	xuéxí
shēn	shén	shěn	shèn	——	shénme
yū	yú	yǔ	yù	——	Hànyǔ
wēn	wén	wěn	wèn	——	wèn
tī	tí	tǐ	tì	——	wèntí
huī	huí	huǐ	huì	——	huídá
duī	duí	duǐ	duì	——	duì

2. 辨音 Sound discrimination

jū	jiū	jǔ	jiǔ
qū	qiū	qú	qiú
xū	xiū	xù	xiù
wán	wáng	wēn	wēng
guàn	guàng	kuān	kuāng
jūn	xūn	quán	xuán

3. 双音节词语 Disyllabic words

(1) 第二声加第一声　　2nd tone plus 1st tone

　　　guójiā　　　　　　yuánguī

　　　lóutī　　　　　　　máoyī

(2) 第二声加第二声　　2nd tone plus another 2nd

　　　tuánjié　　　　　　tóngxué

　　　yóujú　　　　　　　lánqiú

(3) 第二声加第三声　　2nd tone plus 3rd tone

　　　niúnǎi　　　　　　píjiǔ

　　　quántǐ　　　　　　yóulǎn

(4) 第二声加第四声　　2nd tone plus 4th tone

　　　xuéxiào　　　　　　xuéyuàn

　　　hánjià　　　　　　yúkuài

(5) 第二声加轻声　　　2nd tone plus neutral tone

　　　péngyou　　　　　　pútao

　　　mántou　　　　　　biéde

4. 朗读短句　Read aloud the following sentences.

　　(1) Wǒ wèn wèntí, nimen huídá.

　　(2) Duì bu duì?

　　(3) Duì le.

　　(4) Bú duì.

5. 汉字认读　Get to know Chinese characters.

　　A：你学习什么？

　　B：我学习汉语。

　　A：他学习什么？

　　B：他也学习汉语。

A：汉语难吗？

B：汉语不难。

汉字表　Table of Chinese Characters

1	学	𭕄（ゝ ゛ ゛ ゛ ゛）	學
		子	
2	习	フ 刁 习	習
3	什	亻	甚
		十（一 十）	
4	么	ノ ム 么	麼
5	汉	氵（ゝ ゝ 氵）	漢
		又（フ 又）	
6	语	讠	語
		吾 五	
		口	
7	他	亻	
		也	
8	难	又	難
		隹（ノ 亻 亻 亻 亻 亻 隹 隹）	

第五课 Lesson 5

一、会话 Conversation

A: Nǐ zuò shénme ne?

你作 什么呢?

B: Wǒ xiě Hànzì ne.

我 写汉字呢。

A: Tā zuò shénme ne?

他作 什么呢?

B: Tā niàn shēngcí ne.

他 念 生 词 呢。

A: Tāmen zuò shénme ne?

他们 作 什么呢?

B: Tāmen tīng lùyīn ne.

他们 听录音呢。

二、生词和汉字　New Words and Chinese Characters

1. zuò　　　（动）　作　　　to do, to make
2. xiě　　　（动）　写　　　to write
3. Hànzì　　（名）　汉字　　Chinese character
4. niàn　　　（动）　念　　　to read
5. shēngcí　（名）　生词　　new word
6. tīng　　　（动）　听　　　to listen, to hear
7. lùyīn　　　　　　录音　　record
8. èr　　　　（数）　二　　　two
9. sān　　　（数）　三　　　three
10. sì　　　　（数）　四　　　four
11. zàijiàn　　　　　　　　　goodbye

三、韵母　Finals

ian　　　in　　　iang　　　ing　　　iong
er
-i[ɿ]

四、声母　Initials

z　　c　　s

五、注释　Notes

1. 韵母 er　Final *er*

33

er 是一个卷舌韵母。在发单韵母 e [ə] 时，把舌尖稍卷起来对着硬腭，就可以发出 er 的音。

er 可以自成音节，如：èr（二）。

er is a retroflex final formed by producing the simple final *e* [ə] with the tip of the tongue turned up towards the hard palate. *er* can stand alone as a syllable, e.g. èr（二）.

2. 声母 z c s　Initials *z, c, s*

z、c 发音示意图

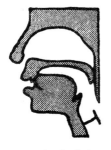 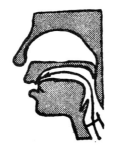 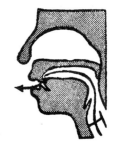

（1）准备　　（2）蓄气　　（3）发音
Lip-position　Holding breath　Releasing breath

z　舌尖平伸，抵上齿背，然后气流冲开一条窄缝，摩擦而出。声带不振动。

c　是跟 z 相对的送气音。

s　舌尖靠近上齿背，构成窄缝，气流摩擦而出，声带不振动。

z is produced by first pressing the tip of the tongue against the back of the upper teeth, and then moving it away a little and squeezing the air out through the channel thus made. The vocal cords do not vibrate.

c is the same as *z* except that it is aspirated.

s is produced by raising the tip of the tongue towards the back of the upper teeth and sgueezing the air out through the channel between the blade of the tongue and the upper teeth. The vocal cords do not vibrate.

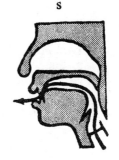

s

3. zi ci si 中的韵母　The final in *zi, ci, si*

zi ci si 中的韵母是舌尖前元音[ɿ]，用 i 表示。zi ci si 中的韵母 i 一定不能读成 [i]。

The final in *zi, ci, si* is the blade-alveolar vowel [ɿ]. It should not be confused with [i], which is also represented by *i*.

六、练习　Exercises

1. 四个声调　The four tones

zuō	zuó	zuǒ	zuò	——	zuò
zī	zí	zǐ	zì	——	Hànzì
niān	nián	niǎn	niàn	——	niàn
cī	cí	cǐ	cì	——	shēngcí
tīng	tíng	tǐng	tìng	——	tīng
lū	lú	lǔ	lù	——	lùyīn
ēr	ér	ěr	èr	——	èr
sān	sán	sǎn	sàn	——	sān
sī	sí	sǐ	sì	——	sì
zāi	zái	zǎi	zài	——	zàijiàn

2. 双音节词语　Disyllabic words

(1) 第三声加第一声　3rd tone plus 1st tone

Běijīng	shǒudū
zǎocāo	měitiān

(2) 第三声加第二声   3rd tone plus 2nd tone

zǔguó	lǚxíng
yǔyán	zǒuláng

(3) 第三声加第三声   3rd tone plus another 3rd

xǐzǎo	shǒubiǎo
shuǐguǒ	fǔdǎo

(4) 第三声加第四声   3rd tone plus 4th tone

yǒuyì	qǐngzuò
cǎisè	zǎofàn

(5) 第三声加轻声   3rd tone plus neutral tone

zǎoshang	yǐzi
mǔqin	jiějie

3. 朗读会话 Read aloud the following conversation.

A: Nǐ zuò shénme ne?

B: Wǒ niàn shēngcí, xiě'Hànzì ne.

A: Nǐ niàn, wǒ tīng, hǎo ma?

B: Hǎo. ……Duì bu duì?

A: Duì le.

B: Xièxie.

A: Bú kèqi.

4. 汉字认读 Get to know Chinese characters.

A: 你作什么呢?

B: 我写汉字呢。

A: 他作什么呢?

B： 他念生词呢。

A： 他们作什么呢？

B： 他们听录音呢。

汉字表　Table of Chinese Characters

1	作	亻	
		乍（ノ 丆 仁 午 乍）	
2	写	冖（丶 冖）	寫
		与（一 ㇢ 与）	
3	字	宀（丶 丷 宀）	
		子	
4	念	今（ノ 人 人 今）	
		心（丶 心 心 心）	
5	生	ノ（㇒ 丿 牛 生）	
6	词	讠	詞
		司（フ ㇆ 司）	
7	听	口	聽
		斤（ノ 丿 斤 斤）	

8	录	ヨ（フ ヨ ヨ）		錄
		氺（亅 刂 刂 氺 氺）		
9	音	立（丶 亠 亠 立 立）		
		日（丨 冂 日 日）		
10	二	一 二		
11	三	一 二 三		
12	四	丨 冂 冈 四 四		

第六课 Lesson 6

一、会话 Conversation

A: Zhè wèi shì Wáng lǎoshī ma?

这 位 是 王 老师 吗?

B: Zhè wèi shì Wáng lǎoshī.

这 位 是 王 老师。

A: Nà wèi shì Zhāng lǎoshī ma?

那 位 是 张 老师 吗?

B: Nà wèi shì Zhāng lǎoshī.

那 位 是 张 老师。

A: Nà wèi yě shì lǎoshī ma?

那 位 也 是 老师 吗?

B: Yě shì lǎoshī.

也是老师。

A: Tāmen qù nǎr?

他们去哪儿？

B: Tāmen qù Tiān'ānmén.

他们去 天安门。

二、生词和汉字 New Words and Chinese Characters

1. zhè	（代）	这	this
2. wèi	（量）	位	*a measure word for persons*
3. shì	（动）	是	to be
4. Wáng	（专）	王	Wang, *a surname*
5. lǎoshī	（名）	老师	teacher
6. nà	（代）	那	that
7. Zhāng	（专）	张	Zhang, *a surname*
8. qù	（动）	去	to go
9. nǎr	（代）	哪儿	where
10. Tiān'ānmén	（专）	天安门	Tian'anmen Square
11. shí	（数）	十	ten
12. zhèr	（代）	这儿	here
13. nàr	（代）	那儿	there

40

14. zázhì   magazine
15. běnzi   note-book, exercise-
                              book
16. ‹Rénmín   People's Daily
    Rìbào›

三、韵母   Final

-i [ʅ]

四、声母   Initials

zh   ch   (sh)   r

五、注释   Notes

1. 声母 zh ch (sh) r Initials *zh*, *ch*, (*sh*), *r*

zh、ch发音示意图

 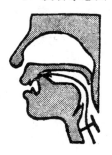 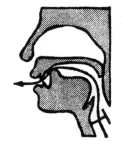

（1）准备   （2）蓄气   （3）发音
Lip-position   Holding breath   Releasing breath

zh　发音时舌尖稍往上卷，顶住硬腭前端，气流从舌尖与硬腭间摩擦而出。声带不振动。

ch　是与 zh 相对的送气音。

41

r 发音部位跟 sh（见第三课）一样，但 r 是浊擦音，声
带振动。

zh is a retroflex consonant. It is pro-
duced by first turning up the tip of the
tongue against the front of the hard
palate and then loosening it and squeezing
the air out through the channel thus
made. The vocal cords do not vibrate.

r

ch is the same as *zh* except that it is
aspirated.

r is the voiced fricative corresponding to *sh* (see Lesson
Three), so in producing this sound the vocal cords vibrate.

2.　zhi chi shi ri 中的韵母　The final in *zhi, chi, shi ri*

zhi chi shi ri 中的韵母是舌尖后元音 [ʅ] 用 i 表示。zhi
chi shi ri 中的韵母 i 一定不能读成 [i]。

The final in *zhi, chi, shi* and *ri* is the blade-palatal vowel
[ʃ]. It should not be confused with [i], which is also represented
by i.

3.　儿化韵母　Retroflex finals

有时韵母 er 跟其他韵母结合成儿化韵母。儿化韵母拼写时
在原韵母后加 r（表示卷舌），汉字写法是在原汉字后加"儿"。
例如：zhèr（这儿）、nàr（那儿）。

The retroflex suffix *er* is sometimes attached to another
final to form a retroflex final, which is transcribed by adding the
letter r to the retroflexed final and adding the character 儿 to
the retroflexed character, e.g. zhèr （这儿）, nàr （那儿）

4.　隔音符号　Dividing mark

a o e 开头的音节连接在其他音节后边时，为了使音节界

限清楚，不致混淆，要用隔音符号（ ' ）隔开。例如：Tiān'ānmén.

When a syllable beginning with *a, o* or *e* follows another syllable, the dividing mark (') should be put in between, so as to avoid any confusion over the syllable boundary, e.g. Tiān'ānmén.

六、练习 Exercises

1. 四个声调 The four tones

zhē	zhé	zhě	zhè —— zhè,zhèr
wēi	wéi	wěi	wèi —— wèi
shī	shí	shǐ	shì —— shì, shí
wāng	wáng	wǎng	wàng —— wáng
lāo	láo	lǎo	lào —— lǎoshī
nā	ná	nǎ	nà —— nà, nǎr, nàr
zhāng	zháng	zhǎng	zhàng —— zhāng
qū	qú	qǔ	qù —— qù
tiān	tián	tiǎn	tiàn —— Tiān'ānmén
zā	zá	zǎ	zà —— zázhì
bēn	bén	běn	bèn—— běnzi
rēn	rén	rěn	rèn—— rénmín
rī	rí	rǐ	rì —— rìbào

2. 双音节词语 Disyllabic words

(1) 第四声加第一声 4th tone plus 1st tone

    miànbāo   chènyī

    qìchē   zhànzhēng

(2) 第四声加第二声 4th tone plus 2nd tone

    wèntí   rèqíng

    nèiróng   wèilái

(3) 第四声加第三声　4th tone plus 3rd tone
  dàshi　　　　　　wǒ shǒu
  shàngwǔ　　　　　xiàwǔ
(4) 第四声加第四声　4th tone plus another 4th
  zàijiàn　　　　　shìyàn
  zhèngzhì　　　　shènglì
(5) 第四声加轻声　　4th tone plus neutral tone
  bàba　　　　　　mèimei
  dìdi　　　　　　xièxie

3. 朗读会话　Read aloud the following conversation.

A: Zhè shì zázhì ma?
B: Zhè shì zázhì.
A: Nà shì běnzi ma?
B: Nà shì běnzi.
A: Zhè shì shénme?
B: Zhè shì «Rénmín Rìbào».

　　　　　•　　　　　•

A
B: Lǎoshī　hǎo!
C: Nǐmen hǎo!
A: Lǎoshī shēntǐ hǎo ma?
C: Hěn hǎo, xièxie.　Nǐmen qù nǎr?
A
B: Wǒmen qù Tiān'ānmén.

4. 汉字认读　Get to know Chinese characters

A: 这位是王老师吗?
B: 这位是王老师。

A：那位是张老师吗？

B：那位是张老师。

A：他们去哪儿？

B：他们去天安门。

* * *

一 二 三 四 五
六 七 八 九 十

汉字表 **Table of Chinese Characters**

1	这	文 (丶 一 ナ 文)		這
		辶 (丶 讠 辶)		
2	位	亻		
		立		
3	是	日		
		疋 (一 丁 下 疋 疋)		
4	王	一 二 干 王		
5	老	耂 (一 十 土 耂)		
		匕 (丿 匕)		

6	师	丿（丶丿）	
		帀 一	
		巾（丶冂巾）	
7	那	月（刁刁刃月）	
		阝（乛阝）	
8	张	弓（乛乛弓）	張
		长（丿匕长）	
9	去	土（一十土）	
		厶（乙厶）	
10	哪	口	
		那	
11	儿	丿儿	
12	天	一	
		大（一ナ大）	
13	安	宀	
		女	
14	门		門
15	十	一十	

第七课 Lesson 7

一、会话 Conversation

A: Nín shì lǎoshī ma?

您①是老师吗?

B: Wǒ shì lǎoshī.

我是老师。

A: Nín shì nǎ guó rén?

您是哪国人?

B: Wǒ shì Zhōngguó rén.

我是中国人。

A: Nín guì xìng?

您贵姓②?

B: Wǒ xìng Wáng.

我姓王。

A: Tā shì lǎoshī ma?

他是老师吗?

B: Tā bú shì lǎoshī,　shì xuésheng.

他不是老师，是学生。

A: Tā shì nǎ guó rén?

他是哪国人?

B: Tā shì Yīngguó rén.

他是英国人。

A: Tā jiào shénme míngzi?

他叫什么名字?

B: Tā jiào Hālì.

他叫哈利。

二、生词和汉字　New Words and Chinese Characters

1. nín　　　　（代）　您　　polite form of 你

2. nǎ　　　　（代）　哪　　which

3. guó　　　　（名）　国　　country

4. rén　　　　（名）　人　　person

5. Zhōngguó　（专）　中国　China

6. guì xìng　　　　　贵姓　(May I) ask your name?

7. xuésheng　（名）　学生　student

8. Yīngguó　　（专）　英国　Britain

9. jiào　　　　（动）　叫　　to call

48

10. míngzi　　（名）名字　　name

11. Hālì　　（专）哈利　　Harley

三、韵母和声母小结　A brief summary of finals and initials

韵 母 Finals	单韵母　Simple finals				
	a[a]	o[o]	e[ɤ]	ê[ɛ]	i[i]
	u[u]	ü[y]	-i[ɿ] [ʅ]	er[ər]	
	复韵母　Compound finals				
	ai[ai]	ei[ei]	ao[au]	ou[əu]	
	ia[ia]	ie[iɛ]	iao[iau]	iou(-iu)[iəu]	
	ua[ua]	uo[uo]	uai[uai]	uei(-ui)[uei]	
	üe[yɛ]				
	鼻韵母　Nasal finals				
	an[an]	en[ən]	ang[aŋ]	eng[əŋ]	ong[uŋ]
	ian[iɛn]	in[in]	iang[iaŋ]	ing[iŋ]	iong[iuŋ]
	uan[uan]	uen(-un)[uən]		uang[uaŋ]	ueng*[uəŋ]
	üan[yan]	ün[yn]			
声 母 Initials	唇音　Labials　b[p]	p[pʻ]		m[m]	f[f]
	舌尖音　Alveolars　d[t]	t[tʻ]		n[n]	l[l]
	舌尖前音　Blade-alveolars　z[tʂ]	c[tʂʻ]		s[ʂ]	
	舌尖后音　Blade-palatals zh[tʂ]	ch[tʂʻ]		sh[ʂ]	
	r[ʐ]				
	舌面音　Alveolars　j[tɕ]	q[tɕʻ]		x[ɕ]	
	舌根音　Velars　g[k]	k[kʻ]		h[x]	

四、注释　Notes

① "您"

"您"是第二人称代词"你"的尊称。对老年人或长辈讲话时称"您"。为了表示礼貌，对与自己年龄相仿的人，特别是初次见面时也可用"您"称呼。

您 is the polite form of 你 used to address old people or seniors. It is also used as a courteous form of address for people who are about the same age as oneself, especially when one meets them for the first time.

② "您贵姓" May I ask your (honourable) name?

这是询问对方姓氏的一种客气的提问法。回答时可以说"我姓…"，也可以说全名"我叫…"。

This is a polite way of asking somebody's name. The answer is 我姓… or 我叫….

五、练习　Exercises

1. 辨音　Sound discrimination

zh　ch

zhīdao　　　　chídào
zhǔxí　　　　　chūxí
Zhōngwén　　　chōngfèn

zh　j

zhīshi　　　　jīqì
zhìdù　　　　　jìshù
zhèngquè　　　jīngquè

ch　q

chī fàn　　　　qīxiàn

50

chuān yī　　　　　　quǎntǐ
　　　chūntiān　　　　　　qúnzhòng

2. 双音节词语　Disyllabic words

(1) Xī'ān　　　　　　kēxué
　　gōngchǎng　　　zhuānyè
　　chuānghu

(2) Cháng Jiāng　　lúnchuán
　　mínzhǔ　　　　róngyì
　　liángshi

(3) huǒchē　　　　huǒchái
　　zhǎnlǎn　　　zhǔnbèi
　　zhěntou

(4) diànchē　　　　jìn chéng
　　zhèngfǔ　　　shuì jiào
　　shìqing

3. 三音节词语　Trisyllabic words

liúxuéshēng　　　dàshǐguǎn
bàngōngshì　　　fēijīchǎng

4. 朗读会话　Read aloud the following conversation.

A: Nín hǎo!
B: Nín hǎo! Nín shì nǎ guó rén?
A: Wǒ shì Zhōngguó rén.
B: Nín guì xìng?
A: Wǒ xìng Wáng, jiào Wáng Yǒuwén.
　　Nín shì nǎ guó rén?
B: Wǒ shì Yīngguó rén.
A: Nín jiào shénme míngzi?
B: Wǒ jiào Hālì.

5. 汉字认读 Get to know Chinese characters.

A: 您是老师吗？

B: 我不是老师，我是学生。

A: 您是哪国人？

B: 我是中国人。

A: 您贵姓？

B: 我姓张。您是哪国人？

A: 我是英国人。

B: 您叫什么名字？

A: 我叫哈利。

汉字表 Table of Chinese Characters

1	您	你		
		心		
2	国	口	门国国	國
		玉（王玉）		
3	人			
4	中	、冂口中		

5	贵	虫（中虫）		贵
		贝（丨冂贝贝）		
6	姓	女		
		生		
7	英	艹（一十艹）		
		央（丶冂卩央央）		
8	叫	口		
		丩（乚丩）		
9	名	夕（ノク夕）		
		口		
10	哈	口		
		合（人𠆢合）		
11	利	禾（丿二千禾禾）		
		刂（丨刂）		

53

第八课 Lesson 8

一、会话 Conversation

A: Nǐ jiā yǒu jǐ kǒu rén?

你家有几口人？

B: Wǒ jiā yǒu liù kǒu rén: bàba, māma,

我家有六口人：爸爸、妈妈、

gēge, dìdi, mèimei hé wǒ.

哥哥、弟弟、妹妹 和我。

A: Nǐ bàba zuò shénme gōngzuò?

你爸爸作 什么 工作？

B: Wǒ bàba shì dàifu.

我爸爸是大夫。

A: Nǐ māma ne?

你妈妈呢?

B: Wǒ māma shì lǎoshī.

我妈妈是老师。

A: Ni gēge gōngzuò ma?

你哥哥工作 吗?

B: Tā gōngzuò, tā shì gōngrén.

他工作，他是工人。

A: Ni dìdi hé mèimei ne?

你弟弟和妹妹呢?

B: Tāmen dōu shì xuésheng.

他们都是学生。

二、生词和汉字　New Words and Chinese Characters

1. jiā   （名） 家   family

2. yǒu   （动） 有   to have, there is / are

3. jǐ   （代） 几   how many, several

4. kǒu   （量） 口   *a measure word for wells, family members, etc.*

5. bàba   （名） 爸爸   papa, father

6. māma   （名） 妈妈   mama, mother

7. gēge   （名） 哥哥   elder brother

55

8. dìdi	（名）	弟弟	younger brother
9. mèimei	（名）	妹妹	younger sister
10. hé	（连）	和	and
11. gōngzuò	（动、名）	工作	to work; work, job
12. dàifu	（名）	大夫	doctor
13. gōngrén	（名）	工人	worker
14. dōu	（副）	都	all
15. jiějie			elder sister
16. zhíyuán			staff
17. gōngchéngshī			engineer

三、练习 Exercises

1. 轻声 Neutral tone

   (1) 第一声加轻声 1st tone plus neutral tone

      zhuōzi   zhīshi

      shūshu   xiānsheng

   (2) 第二声加轻声 2nd tone plus neutral tone

      yéye   tóufa

      bízi   késou

   (3) 第三声加轻声 3rd tone plus neutral tone

      wǎnshang   nǎinai

      sǎngzi   nuǎnhuo

   (4) 第四声加轻声 4th tone plus neutral tone

      yìsi   piàoliang

      màozi   fùqin

2. 三音节词语 Trisyllabic words

pīngpāngqiú	shōuyīnjī
kēxuéyuàn	yóuyǒngchí
yǔmáoqiú	dàshíguǎn
zhàoxiàngjī	yuèlǎnshì

3. 四音节连续 Four-syllable phrases

zēngjìn yǒuyì	cānjiā yànhuì
hùxiāng bāngzhù	duànliàn shēntǐ
yǒuhǎo fǎngwèn	rèliè huānyíng
tǐyù bǐsài	wénhuà jiāoliú

4. 朗读会话 Read aloud the following conversation.

A: Nǐ hǎo!
B: Nǐ hǎo! Nǐ jiā yǒu jǐ kǒu rén?
A: Wǒ jiā yǒu sì kǒu rén: bàba, māma, jiějie hé wǒ.
B: Nǐ bàba zuò shénme gōngzuò?
A: Wǒ bàba shì gōngchéngshī.
B: Nǐ māma yě shì gōngchéngshī ma?
A: Bù, wǒ māma shì zhíyuán.
B: Nǐ jiějie ne?
A: Tā yě shì zhíyuán.

5. 汉字认读 Get to know Chinese characters.

A: 你家有几口人？

B: 我家有五口人：爸爸、妈妈、弟弟、妹妹和我。

A: 你爸爸作什么工作？

B： 我爸爸是老师。

A： 你妈妈工作吗？

B： 她不工作。

A： 你弟弟和妹妹呢？

B： 他们都是学生。

汉字表　Table of Chinese Characters

1	家	宀	
		豕（一 丆 丂 豕 豖 豕 豕）	
2	有	𠂇（一 𠂇）	
		月（丿 𠃌 月 月）	
3	几	丿 几	幾
4	口		
5	爸	父（丶 丷 爻 父）	
		巴（一 丌 卪 巴）	
6	妈	女	媽
		马	
7	哥	可（一 口 可）	

		可
8	弟	⸌⸍ (ˋ ˇ)
		弔 (一 コ 弓 弔 弟)
9	妹	女
		未 (一 二 十 才 未)
10	和	禾
		口
11	工	一 丁 工
12	大	
13	夫	一
		大
14	都	耂
		日
		阝

课堂用语 Classroom Expressions

1. Xiànzài shàngkè, jīntiān xuéxí dì ⋯ kè.

   Let's begin now. We're going to study Lesson . . . today.

2. Qǐng dǎ kāi shū, fān dào dì ... yè.

   Open your books please. Turn to page ...

3. Qǐng tīng wǒ niàn.

Listen to me while I read.

4. Qǐng gēn wǒ niàn.

Read after me please.

5. Qǐng nǐ niàn.

Read please.

6. Qǐng zài niàn yí biàn.

Read again please.

7. Zhùyì fāyīn, zhùyì shēngdiào.

Pay attention to pronunciation and tones.

8. Zhùyì bǐhuà, zhùyì bǐshùn.

Pay attention to strokes and stroke order.

9. Gēn wǒ shuō.

Say after me.

10. Zài shuō yí biàn.

Say it again.

11. Wǒ wèn, qǐng nǐ huídá.

I'll ask, and you answer please.

12. Nǐ wèn, tā huídá.

You ask, he (she) answers.

13. Xiànzài tīngxiě, wǒ niàn, nǐmen xiě.

Let's have a dictation now. I'll read, you write.

14. Xiànzài liú zuòyè.

Here's the homework for today,

15. Qǐng fùxí jiù kè, niàn kèwén.

Please review the previous lesson(s), and read the text(s).

16. Qǐng yùxí shēngcí, yùxí xīn kèwén.

Please preview the new words and the text we are going to study.

17 Qǐng bǎ běnzi gěi wǒ.

Give me your exercise-books please.

18. Míngtiān cèyàn.

We're going to have a test tomorrow.

19. Xiànzài xiūxi.

Let's take a break.

20. Xiànzài xiàkè.

The class is over.

第九课 Lesson 9

我是学生。

他不是学生。

你是学生吗?

一、替换练习 Substitution Drills

1. 他是学生吗?

   他是学生。

老师	工人
大夫	工程师

2. 她①是工人吗?

   她不是工人。

学生	老师
大夫	英国人

3. 你是老师吗?

   我不是老师,

   我是学生。

他	她	他们
哈利	你们	
她们	丁文	

62

4. 这是书吗？
   这不是书，那
   是书。

纸	报	画报
本子	钢笔	
铅笔	圆珠笔	

5. 那是画报吗？
   那不是画报，
   那是本子。

钢笔，	铅笔
本子，	书
铅笔，	圆珠笔

二、课文 Text

（一）

A: 你是 学生 吗？
   Nǐ shì xuésheng ma?

B: 我是 学生。
   Wǒ shì xuésheng.

A: 他是 学生 吗？
   Tā shì xuésheng ma?

B: 他不是 学生，他是老师。
   Tā bú shì xuésheng, tā shì lǎoshī.

A: 她也是老师吗？
   Tā yě shì lǎoshī ma?

B: 不，她不是老师，她是大夫。
   Bù, tā bú shì lǎoshī, tā shì dàifu.

（二）

Dīng Wén shì Zhōngguó rén,　 tā shì

丁 文 是 中 国 人，他 是

xuéshēng, tā xuéxí Yīngyǔ. Hālì shì Yīng

学生，他 学习 英语。哈利是英

guó rén, tā shì liúxuéshēng, 　 tā xuéxí

国人，他是留学生， 他学习

Hànyǔ. Dīng Wén hé 　 Hālì shì péngyou,

汉语。丁 文 和② 哈利是朋友，

tāmen zài Běijīng Yǔyán Xuéyuàn xuéxí.

他们 在北京语言 学院 学习。

三、生词　New Words

1. 工程师　（名）　gōngchéngshī　engineer

2. 她　　　（代）　tā　　　　　　she, her

3. 她们　　（代）　tāmen　　　　they, them

4. 丁文　　（专）　Dīng Wén　　Ding Wen, *a person's name*

5. 书　　　（名）　shū　　　　　book

6. 纸　　　（名）　zhǐ　　　　　paper

7. 报　　　（名）　bào　　　　　newspaper

8. 画报　　（名）　huàbào　　　pictorial

9.	本子	（名）	běnzi	note-book, exercise-book
10.	钢笔	（名）	gāngbǐ	pen
11.	铅笔	（名）	qiānbǐ	pencil
12.	圆珠笔	（名）	yuánzhūbǐ	ballpoint pen
13.	英语	（名）	Yīngyǔ	English
14.	留学生	（名）	liúxuéshēng	students studying abroad
15.	朋友	（名）	péngyou	friend
16.	在	（介）	zài	in, on, at
17.	北京语言学院	（专）	Běijīng Yǔyán Xuéyuàn	Beijing Language Institute

补充生词　Additional Words

1.	德国	（专）	Déguó	Germany
2.	法国	（专）	Fǎguó	France
3.	美国	（专）	Měiguó	the United States of America
4.	日本	（专）	Rìběn	Japan

四、注释　Notes

① 代词 "她" pronoun 她

第三人称代词"tā"书面上有三个汉字：一个是 "他"，代表男性；一个是"她"，代表女性，一个是"它"，代表人以外的事物。

The third person pronoun tā is represented by three characters: 他 which means "he", 她 which means "she", and 它 which means "it".

② 连词 "和"　Conjunction 和

连词"和"一般只用于连接名词、代词或名词短语，不能连接分句，也很少连接动词或动词短语。"和"连接三个以上的词或词组时，只用在最后一处。如："书、报和画报。"

The conjunction 和 can only connect nouns, pronouns or nominal phrases; it cannot connect clauses.　It seldom connects verbs or verbal phrases. When it connects three or more words or phrases, 和 is placed between the last two, e.g. 书、报和画报。

五、语法　Grammar

1. 汉语的语序　Word order in Chinese

汉语语法没有明显的人称、时态、性、数、格等形态变化，在汉语里，语序作为一种语法手段，起着很重要的作用。汉语的语序，一般是主语在前，谓语在后；动词在前，宾语在后；修饰语在前，中心语在后。例如：

Chinese is not an inflectional language, so word order plays an important role in Chinese grammar. Usually, the subject precedes the predicate; the verb precedes the object; the modifier precedes the central elements, e.g.

你好！

我是学生，丁文也是学生。

2. "是"字句（一） The 是-sentence (1)

"是"和其他词或短语一起构成谓语的句子叫"是"字句，"是"一般轻读，"是"后边的词语是谓语的主要部分。"是"字句的否定式是在"是"前加"不"，例如：

A sentence containing a predicate which is composed of 是 plus a word or phrase is called a 是-sentence. Here, 是 is read in the neutral tone. The word or phrase coming directly after 是 is the main element in the predicate, e.g.

他是学生，他不是老师。

丁文是中国人，哈利不是中国人。

3. 用"吗"的疑问句 The interrogative sentence ending with 吗

在陈述句句尾加上表示疑问的语气助词"吗"，就成了疑问句。例如：

Adding the modal particle 吗 to a statement changes it into an interrogative sentence, e.g.

她是大夫吗？

他是英国人吗？

六、练习 Exercises

1. 把下列句子改成用"吗"的疑问句：

Change the following statements into interrogative sentences:

（1）她是工程师。

（2）她们是留学生。

（3）哈利是英国人。

（4）张老师是中国人。

（5）这是纸。

（6）那是报。

（7）那是书。

（8）这是本子。

（9）这是钢笔。

（10）那是圆珠笔。

2. 按照下列例子回答问题：

Answer the questions following the example:

例 Example：

这是钢笔吗？（铅笔）

这不是钢笔，这是铅笔。

（1）这是圆珠笔吗？（钢笔）

（2）这是画报吗？（报）

（3）那是书吗？（本子）

（4）他是工人吗？（工程师）

（5）他是老师吗？（留学生）

（6）她是工程师吗？（大夫）

3. 根据课文（二）回答问题：

Answer the questions according to text (2):

(1) 丁文是中国人吗？

(2) 丁文是学生吗？

(3) 丁文学习英语吗？

(4) 哈利是英国人吗？

(5) 哈利是学生吗？

(6) 哈利学习什么？

(7) 丁文和哈利在哪儿学习？

4. 根据实际情况回答问题：

Give your own answers to the questions:

(1) 你是学生吗？

(2) 你是哪国人？

(3) 你叫什么名字？

(4) 你学习什么？

(5) 你在哪儿学习？

5. 朗读，然后抄写下列对话，并标上调号：

Read aloud and copy the following dialogue.

Put a proper tone-graph above each word:

A： 你好！

B： 你好！

A： 你是留学生吗？

B：我是留学生。

A：你是哪国人。

B：我是英国人。

A：你叫什么名字？

B：我叫哈利。

A：你学习什么？

B：我学习汉语。你也是留学生吗？

A：不，我不是留学生，我是中国学生。

B：你叫什么名字？

A：我叫丁文。

B：你学习什么？

A：我学习英语。

B：你在哪儿学习？

A：我在北京语言学院学习。

B：我也在北京语言学院学习。

6．根据拼音写出汉字：

Write the following phonetic transcriptions as Chinese characters:

师 { lǎoshī
gōngchéngshī

语 { Yīngyǔ
Hànyǔ

工 { gōngrén / gōngzuò / gōngchéngshī

笔 { gāngbǐ / qiānbǐ / yuánzhūbǐ

汉字表 Table of Chinese Characters

1	程	禾	
		呈 | 口	
		| 王	
2	她	女	
		也	
3	丁	一 丁	
4	书	㇕ ㇋ 书 书	書
5	纸	纟（ㄥ ㄠ 纟）	紙
		氏（′ ㇂ ㇗ 氏）	
6	报	扌（一 十 扌）	報
		艮（㇆ ㇌ ㇌ 艮）	
7	画	一	畫
		田（丨 冂 冂 田 田）	
		凵（㇄ 凵）	

71

8	钢	钅（丿𠂉𠂉钅钅）		鋼
		冈（丨冂冈冈）		
9	笔	𥫗（丿𠂉𠂉𥫗𥫗）		筆
		毛（丿二三毛）		
10	铅	钅		鉛
		㕣	几（丿几）	
			口	
11	圆	囗		圓
		员	囗	
			贝（丨冂贝贝）	
12	珠	王（一二千王）		
		朱（丿𠂇二牛牛朱）		
13	本	木（一十才木）		
		一		
14	留	𠂊丷（丿𠂊𠂊）		
		刀（𠃌刀）		
		田		
15	朋	月（丿冂月月）		

		月
16	友	一 ナ 友
17	在	一 ナ 才 在
18	北	ㅣ 귀 귀 北 北
19	京	亠
		口
		小
20	言	、 亠 亠 言 言
21	院	阝 (ㄱ 阝)
		完 ｜ 宀
		｜ 元 (二 元)

第十课　Lesson 10

这是中文画报。

这是我的书。

他是谁？

一、替换练习　**Substitution Drills**

1. 这是什么？
   这是<u>画报</u>。

   | 书 | 报 | 杂志 |
   | 词典 | 地图 | |

2. 这是什么画报？
   这是<u>中文</u>①画报。

杂志，	英文
词典，	法文
地图，	世界
报，	法文

3. 他是谁？
   他是<u>丁文</u>。

   | 哈利 | 王工程师 |
   | 马老师 | 张大夫 |

74

.4 这是谁的书?
这是我的书。

词典,	她
杂志,	他
本子,	丁文
地图,	哈利
钢笔,	王老师

5. 谁是你们的老师?
王老师是我们的老师。

他们,	马老师
丁文,	他
她,	张老师

二、课文 Text

（一）

A: 这 是词典吗?
Zhè shì cídiǎn ma?

B: 这是词典。
Zhè shì cídiǎn.

A: 这 是 什么 词典?
Zhè shì shénme cídiǎn?

B: 这是 英文 词典。
Zhèshì Yīngwén cídiǎn.

75

A: 这是谁的词典？
Zhè shì shuí de cídiǎn?

B: 这是王老师的词典。
Zhè shì Wáng lǎoshī de cídiǎn.

· · ·

A: 那是地图吗？
Nà shì dìtú ma?

B: 那是地图。
Nà shì dìtú.

A: 那是中国地图吗？
Nà shì Zhōngguó dìtú ma?

B: 不，那不是中国地图，
Bù,　nà bú shì Zhōngguó dìtú,

那是世界地图。
nà shì shìjiè dìtú.

A: 那是谁的地图？
Nà shì shuí de dìtú?

B: 那是哈利的地图。
Nà shì Hālì de dìtú.

（二）

这是我们的学校——北京语言学院。
Zhè shì wǒmen de xuéxiào — Běijīng Yǔyán Xuéyuàn.

我 是 英国　留学生，我 学习 汉语。
Wǒ shì Yīngguó liúxuéshēng , wǒ xuéxí Hànyǔ.

丁 文 是 我的 朋友。他是 中国 学生，
Dīng Wén shì wǒ de péngyou.　Tā shì Zhōngguó xuésheng,

他 学习英语。
tā xuéxí Yīngyǔ.

这是我们 的 教室，那 是 中国　学生
Zhè shì wǒmen de jiàoshì,　 nà shì Zhōngguó xuésheng

的教室。我们 的 老师是 王 老师。他们 的
de jiàoshì.　Wǒmen de lǎoshī shì Wáng lǎoshī.　Tāmen de

老师 是 马老师。
lǎoshī shì Mǎ lǎoshī.

三、生词　New Words

1. 杂志　（名）　zázhì　　　　magazine
2. 词典　（名）　cídiǎn　　　dictionary
3. 地图　（名）　dìtú　　　　map
4. 中文　（名）　Zhōngwén　　Chinese
5. 英文　（名）　Yīngwén　　English
6. 法文　（名）　Fǎwén　　　French
7. 世界　（名）　shìjiè　　　world
8. 谁　　（代）　shuí　　　　who
9. 的　　（助）　de　　　　　*structural particle*

10. 马	(专)	Mǎ	Ma, *a surname*
11. 学校	(名)	xuéxiào	school
12. 教室	(名)	jiàoshì	classroom

补充生词　Additional Words

1. 阿拉伯文	(名)	Ālābówén	Arabic
2. 德文	(名)	Déwén	German
3. 俄文	(名)	Éwén	Russian
4. 西班牙文	(名)	Xībānyáwén	Spanish
5. 日文	(名)	Rìwén	Japanese

四、注释　Notes

① "汉语" 和 "中文"

"汉语" 指中国汉族的语言，也是中国各民族的共同语。"中文" 一般指汉语的书面形式。这两个词的侧重点不同，如："学习汉语" "中文画报"。"英语" 和 "英文"、"法语" 和 "法文" 等，意义上也有同样的差别。

汉语 is the language of the Han nationality and also the common language of all the other nationalities in China. Generally speaking, 中文 refers to the Chinese written language. These two appellations have different emphases, e.g. 学习汉语, 中文画报. Similarly, 英语 is different from 英文, and 法语 from 法文.

五、语法　Grammar

1. 定语　Attributive

定语主要是修饰名词的，被修饰的成分叫中心语。名词、代词、形容词以及其他词类和短语都可以作定语。定语一定要放在中心语的前边。例如：

An attributive (i.e. adjectival modifier) is used to modify nouns. What is modified is known as the central word. A noun, pronoun, numeral, measure word or an adjective may function as an attributive, which must be placed before the central word, e.g.

这是中文书。

他是我的朋友。

哈利是英国留学生。

2. 结构助词"的" Structural particle 的

名词、代词作定语表示领属关系时，定语和中心语之间一般要用结构助词"的"。例如：

When indicating possession, a noun or pronoun taken as an attributive should be followed by the structural particle 的, e.g.

这是王老师的词典。

那是他的钢笔。

3. 用疑问代词的疑问句 Interrogative sentences in which an interrogative pronoun is used

用疑问代词的疑问句，词序跟陈述句一样，把陈述句中要提问的部分改成疑问代词，就成了疑问句。例如：

This kind of interrogative sentence (i.e. question) is formed by replacing the element in question in a statement with an interrogative pronoun. The sentence order remains the same, e.g.

他是马老师。

他是谁？

这是我的地图。

这是谁的地图？

六、练习 Exercises

1. 根据划线部分用疑问代词提问：

Ask questions on the underlined parts of the following sentences, using interrogative pronouns:

（1）这是我的杂志。

（2）那是他的词典。

（3）丁文是我的朋友。

（4）他学习英语。

（5）这是世界地图。

（6）哈利是英国人。

（7）这是他们的学校。

（8）那是留学生的教室。

2. 根据课文（二）回答问题：

Answer the questions according to the Text (2)：

（1）这是谁的学校？

（2）你是留学生吗？

（3）你学习什么？

（4）丁文是谁？

（5）丁文是哪国人？

（6）丁文学习什么？

（7）这是谁的教室？

（8）那是谁的教室？

（9）谁是你们的老师？

（10）中国学生的老师是谁？

3. 朗读然后抄写下列对话，并标上调号：

Read aloud the following dialogue, and then copy it, giving the tone-graph for each of the characters:

A：你好！

B：你好！

A：这是北京语言学院吗？

B：是。你是语言学院的学生吗？

A：不是。我的朋友是语言学院的学生。

B：你的朋友叫什么名字？

A：他叫丁文。

B：他学习什么？

A：他学习英语。

B: 他们的老师是谁?

A: 他们的老师是马老师。

4. 根据拼音写出汉字:

Write the following phonetic transcriptions as Chinese characters:

词 { shēngcí / cídiǎn }   儿 { zhèr / nàr / nǎr }

文 { Zhōngwén / Yīngwén / Fǎwén }   学 { xuésheng / xuéxí / xuéxiào / liúxuéshēng }

汉字表　Table of Chinese Characters

1	杂	九		雜
2	志	木 士 心		誌
3	典	丨 冂 冃 由 曲 曲 典 典		
4	地	扌 也		
5	图	囗		圖

		冬（ノ ク 欠 冬 冬）		
6	法	氵		
		去		
7	世	一 十 廿 卅 世		
8	界	田		
		介（ノ 人 介 介）		
9	谁	讠		誰
		隹		
10	的	白（ノ 白）		
		勺（ノ 勺 勺）		
11	马	马		馬
12	校	木		
		交（一 亠 六 六 交）		
13	教	孝（一 十 土 耂 孝 孝）		
		攵（ノ 乂 产 攵）		
14	室	宀		
		至（一 エ 云 云 至 至）		

第十一课　**Lesson 11**

你有几本画报？
我有两本画报。
他没有英文杂志。

1. 你有中文书吗？
   我有中文书。

   报　画报
   杂志　词典

2. 他有中文报吗？
   他没有中文报。
   他有英文报。

   中文杂志，英文杂志
   英文词典，法文词典
   世界地图，中国地图

3. 他有哥哥吗？
   他有哥哥。
   他有几个哥哥？
   他有一①个哥哥。

   弟弟　妹妹
   姐姐

84

4. 你有画报吗？
   我有画报。
   你有几本画报？
   我有两本画报。

5. 这是几支钢笔？
   这是一支钢笔。

中文书 法文杂志
英文词典
法文书 中文词典

张，画儿
把，椅子
张，桌子
个，书架
张，床

二、课文 Text

（一）

A: 这是几张 桌子？
   Zhè shì jǐ zhāng zhuōzi?

B: 这 是 九 张 桌子。
   Zhè shì jiǔ zhāng zhuōzi.

A: 那是几把椅子？
   Nà shì jǐ bǎ yǐzi?

B: 那是十 把 椅子。
   Nà shì shí bǎ yǐzi.

A: 你有几支钢笔？

Nǐ yǒu jǐ zhī gāngbǐ?

B: 我有两支钢笔。

Wǒ yǒu liǎng zhī gāngbǐ.

A: 她有几个本子？

Tā yǒu jǐ ge běnzi?

B: 她有五个本子。

Tā yǒu wǔ ge běnzi.

（二）

丁文是中国学生。他有一个外国

Dīng Wén shì Zhōngguó xuésheng. Tā yǒu yí ge wàiguó

朋友，叫哈利。哈利是英国留学生。

péngyou, jiào Hālì. Hālì shì Yīngguó liú xuéshēng.

丁文学习英语。他有两本英文书、

Dīng Wén xuéxí Yīngyǔ. Tā yǒu liǎng běn Yīngwén shū,

一本 英文 词典。他 没有 英文 杂志。
yì běn Yīngwén cídiǎn.　　Tā méiyǒu Yīngwén zázhì.

这是哈利的宿舍。这儿有两 张 床、
Zhè shì Hālì de sùshè.　　Zhèr yǒu liǎng zhāng chuáng,

两 个柜子、两 张 桌子、两 把椅子和两
liǎng ge guìzi,　liǎng zhāng zhuōzi,　liǎng bǎ　yǐzi　hé liǎng

个 书架。
ge shūjià.

三、生词　New Words

1. 没	（副）	méi	not, no
2. 姐姐	（名）	jiějie	elder sister
3. 个	（量）	gè	*a measure word*
4. 本	（量）	běn	*a measure word for books*
5. 两	（数）	liǎng	two
6. 支	（量）	zhī	*a measure word for songs, pens, or things in the shape of a shaft*
7. 张	（量）	zhāng	*a measure word for paper, tables, beds, mouths, etc.*
8. 画儿	（名）	huàr	picture, painting
9. 把	（量）	bǎ	*a measure word for*

things with a handle

10.	椅子	（名）	yǐzi	chair
11.	桌子	（名）	zhuōzi	desk, table
12.	书架	（名）	shūjià	bookshelf
13.	床	（名）	chuáng	bed
14.	外国	（名）	wàiguó	foreign country
15.	宿舍	（名）	sùshè	dormitory
16.	柜子	（名）	guìzi	wardrobe

补充生词　Additional Words

1.	电灯	（名）	diàndēng	light
2.	台灯	（名）	táidēng	table lamp
3.	闹钟	（名）	nàozhōng	alarm clock
4.	手表	（名）	shǒubiǎo	watch

四、注释　Notes

① "一"的变调　Tone changes of 一

"一"的原调是第一声，如果后边有第四声或第四声变来的轻声音节时，"一"读第二声，如："一个学生"（一课书）。如果后边是其他声调的音节，"一"读第四声，如："一支钢笔"。

The original tone of 一 is the 1st tone, but if it is followed by the 4th tone or a neutral tone which was originally a 4th tone, 一 is read in the 2nd tone, e.g. 一个学生; if it is followed by 1st, 2nd, or 3rd tone, — is read in the 4th tone, e.g. 一支钢笔.

② "二" 和 "两" 二 and 两

"二" 和 "两" 都表示 "2" 这个数目，在量词（或不需要量词的名词）前，一般用 "两" 不用 "二"，如："两张桌子""两把椅子"。

Both 二 and 两 represent the number 2. Before a measure word (or a noun which does not need a measure word,) 两 is used instead of 二, e.g. 两张桌子, 两把椅子.

四、语法　Grammar

1. "有" 字句 The 有-sentence

动词 "有" 作谓语主要成分的句子常表示领有。例如：

有 taken as the predicate verb denotes the possession of something, e.g.

他有中文画报。

我有英文词典。

"有" 字句也可以表示存在。例如：

有 also denotes the existence or presence of something, e.g.

这儿有几把椅子？

宿舍有几个书架？

"有" 字句的否定式是在 "有" 前加副词 "没"，不能用 "不"。例如：

The negative form of the verb is shown by putting the adverb 没 (never不) before the verb, e.g.

他没有中文画报。

我没有英文词典。

2. 数量词作定语　A numeral-measure word as attributive

在现代汉语里，数词一般不能直接修饰名词，数词和名词之间必须加量词。例如：

In Chinese, a numeral cannot normally modify a noun directly, so a measure word must be used in between, e.g.

丁文有一个外国朋友。

他有两本英文书。

名词都有特定的量词，不能随意组合。例如"本"是书、杂志等的量词；"支"是钢笔、铅笔等的量词；"张"是纸、报、桌子等的量词；"把"是椅子等的量词；"个"是学生、本子等的量词。量词"个"的应用范围最广。

In Chinese, every noun has its specific measure word. For example, 本 is the measure word for 书，杂志，etc.；支 is the measure word for 钢笔，铅笔，etc.；张 is the measure word for 纸，报，桌子，etc.；把 is the measure word for 椅子 etc.；个 is the measure word for 学生，本子 etc.；个 is the most widely used measure word in Chinese.

3. 疑问代词"几"　Interrogative pronoun 几

提问"十"以下的数目，一般用"几"。因为"几"代替的是数词，所以在"几"和名词之间也要加量词。例如：

几 is normally used to ask about a number under 10. Because 几 stands for a numeral, a measure word must be used between it and the noun, e.g.

他有几个弟弟？

你有几本中文书？

六、练习 Exercises

1. 把括号内的数字改成汉字并填上适当的量词：

Change the following Arabic numerals in parentheses into Chinese characters and give a proper measure word for each of them:

（5）＿＿大夫　　（3）＿＿留学生

（7）＿＿桌子　　（6）＿＿椅子

（8）＿＿汉字　　（2）＿＿生词

（2）＿＿学校　　（1）＿＿名字

（5）＿＿教室　　（10）＿＿柜子

（1）＿＿哥哥　　（4）＿＿圆珠笔

2. 用量词填空，并把句子改成疑问句：

Fill in the blanks with proper measure words and change the statements into questions:

例 Example：

这是五张报。

这是几张报？

（1）这是七＿＿中文报。

（2）那是十＿＿英文词典。

（3）这是九＿＿法文杂志。

（4）那是八＿＿书架。

（5）这是四____世界地图。

（6）这是五____画儿。

（7）那是六____纸。

（8）这是三____床。

（9）那是两____柜子。

例 Example：

我有十本英文书。

你有几本英文书？

（10）我有三____钢笔。

（11）哈利有两____英国地图。

（12）他有一____姐姐。

（13）王老师有六____英文词典。

（14）我的朋友有七____中国画儿。

3. 按照下列例子回答问题：

Answer the questions following the example：

例 Example：

你有纸吗？（本子）

我没有纸，我有本子。

（1）你有法文杂志吗？（英文杂志）

（2）她有妹妹吗？（姐姐）

（3）马老师有法文书吗？（英文书）

（4）他有世界地图吗？（中国地图）

（5）王工程师有英文词典吗？（法文词典）

4. 根据课文（二）回答问题：

Answer the questions according to Text (2):

（1）丁文是哪国人？

（2）丁文有外国朋友吗？

（3）丁文的外国朋友叫什么名字？

（4）哈利是哪国人？

（5）丁文学习什么？

（6）丁文有英文书吗？

（7）丁文有几本英文书？

（8）丁文有英文词典吗？

（9）丁文有几本英文词典？

（10）丁文有英文杂志吗？

（11）这是谁的宿舍？

（12）这儿有几张床、几张桌子、几把椅子？

(13) 这儿有几个柜子、几个书架？

5. 阅读下面短文并复述：

Read and retell the following passage:

我有一个中国朋友，他叫张民。他是北京语言学院的学生，他学习英语。他有九本英文书、两本英文词典和一张世界地图。

这是我朋友的宿舍。这儿有一张床、两把椅子、一个柜子和一个书架。晚上，(wǎnshang, in the evening),他在宿舍念生词，听录音。

6. 根据拼音写出汉字：

Write the following phonetic transcriptions as Chinese characters:

画 {huàbào / huàr}   国 {Zhōngguó / wàiguó}

子 {zhuōzi / yǐzi / guìzi / běnzi}   汉 {Hànyǔ / hànzì}

汉字表　Table of Chinese Characters

1	没	氵		
		殳（ ノ 几 𠮵 殳 ）		
2	姐	女		
		且（ 丨 𠜱 月 月 且 ）		
3	个	ノ 人 个		個
4	两	一 丆 丙 丙 丙 两 两		兩
5	支	一 十 𠂤 支		枝
6	把	扌		
		巴		
7	椅	木		
		奇	大	
			可	
8	桌	𠂆	𠂆 𠂆	
		日		
		木		
9	架	加	力（ フ 力 ）	
			口	

95

		木	
10	床	广（丶 亠 广）	
		木	
11	外	夕（ノ 勹 夕）	
		卜（丨 卜）	
12	宿	宀	
		佰 亻	
		百（一 ア 了 万 百 百）	
13	舍	ノ 人 仌 今 仝 舍	
14	柜	木	櫃
		巨（一 コ 尸 尸 巨）	

第十二课　Lesson 12

> 我们的学校很大。
> 这个生词难不难？
> 这个生词不难。

一、替换练习　**Substitution Drills**

1. 我们的学校很大。

教室　宿舍　屋子

2. 你的词典新不新？
   我的词典很新。

屋子，干净
钢笔，好
朋友，多

3. 这个生词难不难？
   这个生词很难。
   这个生词不太难。

学校，大
大夫，忙
汉字，容易
教室，干净

4. 这个屋子大，
   那个屋子小。

| 词，难，容易 |
| 宿舍，干净，脏 |
| 本子，新，旧 |
| 学生，努力，不努力 |

5. 你的爸爸是不是
   工程师？
   我的爸爸不是工
   程师。

| 妈妈，大夫 |
| 哥哥，工人 |
| 姐姐，学生 |
| 老师，中国人 |

6. 你有没有新杂志？
   我没有新杂志。

| 小，本子 |
| 旧，画报 |
| 干净，纸 |

二、课文　Text

（一）

A: 你学习什么？
   Nǐ xuéxí shéme?

B: 我学习汉语。
   Wǒ xuéxí Hànyǔ.

A: 汉语 难 不 难?
Hànyǔ nán bu nán?

B: 不 太 难, 但是 发音 不 容易。
Bú tài nán, dànshì fā yīn bù róngyi.

A: 你 忙 不 忙?
Nǐ máng bu máng?

B: 很 忙。你 忙 吗?
Hěn máng. Nǐ máng ma?

A: 我 不 太 忙。你 有 没有 汉语 词典?
Wǒ bú tài máng. Nǐ yǒu méiyǒu Hànyǔ cídiǎn?

B: 有 一 本。
Yǒu yì běn.

A: 你 的 词典 新 不 新?
Nǐ de cídiǎn xīn bu xīn?

B: 不 新,是一本 旧 词典。
Bù xīn, shì yì běn jiù cídiǎn.

(二)

这 是 我们 的 教室。我们 的 教室 很
Zhè shì wǒmen de jiàoshì. Wǒmen de jiàoshì hěn

大, 很 干净。
dà, hěn gānjing.

那 是 他们 的 教室。他们 的 教室 不大。
Nà shì tāmen de jiàoshì. Tāmen de jiàoshì bú dà.

这是我们班①的同学。我们班男同学②

Zhè shì wǒmen bān de tóngxué. Wǒmen bān nán tóngxué

多，女同学少。

duō,   nǔ tóngxué shǎo.

我们学习汉语，我们都很努力。

Wǒmen xuéxí Hànyǔ,   wǒmen dōu hěn nǔlì.

三、生词 New Words

1.	大	（形） dà	big, large
2.	屋子	（名） wūzi	room
3.	新	（形） xīn	new
4.	干净	（形） gānjing	clean
5.	多	（形） duō	many, numerous
6.	太	（副） tài	too
7.	容易	（形） róngyi	easy
8.	小	（形） xiǎo	small, little
9.	脏	（形） zāng	dirty

100

10. 旧	（形）	jiù	old
11. 努力	（形）	nǔlì	hard
12. 但是	（连）	dànshì	but
13. 发音	（名）	fāyīn	pronunciation
14. 班	（名）	bān	class
15. 同学	（名）	tóngxué	classmate, schoolmate
16. 男	（名）	nán	male
17. 女	（名）	nǚ	female
18. 少	（形）	shǎo	a little, a few

补充生词　Additional Words

1. 系	（名）	xì	department, faculty
2. 年级	（名）	niánjí	grade (year group)
3. 文科	（名）	wénkē	liberal arts
4. 工科	（名）	gōngkē	engineering
5. 理科	（名）	lǐkē	science

四、注释　Notes

① "的"的省略　Omission of 的

人称代词作定语，如果中心语是表示集体、单位或亲属等的名词，定语后的"的"可以不用，如："我们班""他哥哥"等。

The structural particle 的 may be omitted if the central word modified by a personal pronoun stands for one's institution, workplace or relatives, etc., e.g. 我们班，他哥哥.

② "男" "女"　男 and 女

"男" "女" 一般不能单独用，作指人名词的定语，有区分性别的作用，如："男学生" "女学生" "男大夫" "女大夫"。

男 and 女 cannot usually stand alone. They are used to modify nouns related to persons, to show genders, e.g. 男学生／女学生，男大夫／女大夫.

五、语法　Grammar

1. 形容词谓语句　Sentence with an adjective as its predicate

形容词谓语句是以形容词作谓语主要成分的句子。汉语形容词谓语句中不再用动词"是"。
例如：

This kind of sentence takes an adjective as its predicate. The verb 是 is no longer used before the adjective, e.g.

这本词典很好。

我们的教室很干净。

形容词单独作谓语，在形容词前常用副词"很"，"很"表示程度的意义已不明显，如果只用形容词作谓语，就带有比较的意思，常用在对比的句子里，例如：

If an adjective stands alone as the predicate in a sentence, the adverb 很 is often used before the adjective. In this case, 很 loses its force as an adverb of degree. If an adjective is used as a predicate without any modification, comparison is implied, e.g.

男学生多，女学生少。

2. 形容词谓语句的否定　Negation of a sentence with an adjective as its predicate

形容词谓语句的否定式是在谓语形容词前加否定副词"不"。例如：

The negative form of this kind of sentence is constructed by placing the adverb 不 before the adjective, e.g.

我的中文书不多。

张大夫不太忙。

3. 正反疑问句　Affirmative-negative question

把谓语中主要成分的肯定形式和否定形式并列起来，就构成正反疑问句，例如：

This kind of interrogative sentence is formed by putting together the affirmative and negative forms of the verb (or adjective), e.g.

张大夫忙不忙？

他是不是工程师？

你有没有英文词典？

"有"字句和"是"字句用正反疑问句提问，还可以有以下的形式：

The affirmative-negative question of a sentence with 有 or 是 can also be formed in the following way:

他是工程师不是？

你有英文词典没有？

4. 指示代词作定语 A demonstrative pronoun as an attributive

指示代词"这""那"等作定语，定语与中心语之间一般也要用量词。例如：

When the demonstrative pronoun 这 or 那, etc. is used as an attributive, a measure word is generally used between the pronoun and the central word, e.g.

这本词典很好。

那个生词难不难？

六、练习 Exercises

1. 把下列陈述句改成正反疑问句：

Change the following statements into affirmative-negative questions：

例 Example，

这个教室很大。

这个教室大不大？

(1) 这个屋子很干净。

(2) 汉语不太难。

(3) 那张桌子很脏。

(4) 王大夫很忙。

(5) 那张地图很新。

(6) 那个柜子很大。

（7）他是哈利的同学。

（8）这是我的词典。

（9）那是丁文的杂志。

（10）他们班没有女同学。

2.　根据课文（二）回答问题：
Answer the questions according to the Text (2):

（1）这是你们的教室吗？

（2）你们的教室大不大？干净不干净？

（3）那是谁的教室？

（4）他们的教室大不大？

（5）你们班女同学多不多？

（6）你们班男同学多吗？

（7）你们学习什么？

（8）你们都很努力吗？

3.　根据实际情况回答问题：
Give your own answers to the questions:

（1）你学习什么？

（2）你们班的教室大不大？

（3）你们班的同学多不多？

（4）你们班有几个男同学？

（5）你们班有没有女同学？有几个？

4. 阅读然后抄写下面短文并标上调号：

Read and then copy the following passage, giving a proper tone-graph for each of the characters:

王新在北京语言学院学习法语。他们班的学生不多，有四个女学生和三个男学生。法语不太容易，他们都很努力。王新的法文书很多，但是法文词典不多。

汉字表　Table of Chinese Characters

1	屋	尸（ ⁷ ⊐ 尸 ）		
		至（ ˉ ⊥ ⊼ 至 ）		
2	新	亲 〔立		
		〔朩		
		斤（ ´ 厂 斤 斤 ）		
3	干	ˉ 二 干		乾
4	净	冫（ 丶 冫 ）		
		争（ ´ ⺈ 刍 刍 刍 争 ）		
5	多	夕		
		夕		

6	太	大太	
7	容	宀	
		谷（丿丷夂父谷）	
8	易	日	
		勿（丿勹勹勿）	
9	小	亅小小	
10	脏	月	髒
		庄（丶亠广庄）	
11	旧	丨	舊
		日	
12	努	奴　女	
		又	
		力（丁力）	
13	力		
14	但	亻	
		旦（日旦）	
15	发	一ナ岁发发	發
16	班	王	

		⺈（ ㇕ ㇒ ）
		王
17	同	丨 冂 冂 同 同 同
18	男	田
		力
19	女	
20	少	丨 ⺌ ⺌ 少

第十三课 Lesson 13

> 我们学习。
> 他看中文报。
> 他不看英文画报。

一、替换练习 Substitution Drills

1. 我们学习。

| 复习 | 预习 | 工作 |

2. 我看报。

| 书 | 杂志 | 画报 |
| 地图 | 电视 | |

4. 你写不写汉字？
   我写汉字。
   他写汉字吗？
   他不写汉字。

去，	宿舍
看，	电视
说，	英语
听，	录音

3. 他看英文画报吗？
他不看英文画报，
他看中文画报。

中文书，	英文书
法文杂志	英文杂志
世界地图	中国地图

5. 晚上你作什么？
晚上我念课文。

听，	录音
作，	练习
复习，	旧课
预习，	新课

二、课文 Text

（一）

A: 你们 学习 什么？
Nǐmen xuéxí shénme?

B: 我们 学习 汉语。
Wǒmen xuéxí Hànyǔ.

A: 这 是 你们的教室吗？
Zhè shì nǐmen de jiàoshì ma?

B: 不 是， 那 是 我们 的 教室。
Bú shì, nà shì wǒmen de jiàoshì.

A: 你们 班 同学 多 不 多？
Nǐmen bān tóngxué duō bu duō?

B: 不多，我们 班 有 九 个 同学。
Bù duō, wǒmen bān yǒu jiǔ ge tóngxué.

A: 你们 的 老师 是 谁?
Nǐmen de lǎoshī shì shuí?

B: 王 老师 和 张 老师。
Wáng lǎoshī hé Zhāng lǎoshī.

A: 你们 的老师说 不说 英语?
Nǐmen de lǎoshī shuō bu shuō Yīngyǔ?

B: 他们 不 说 英语，他们 说 汉语。
Tāmen bù shuō Yīngyǔ, tāmen shuō Hànyǔ.

A: 晚上，你们 作 什么?
Wǎnshang, nǐmen zuò shénme?

B: 晚上，我们 复习 生词，念 课文，听
Wǎnshang, wǒmen fùxí shēngcí, niàn kèwén, tīng

录音，作练习。有时候，我们 也 看
lù yīn, zuò liànxí. Yǒu shíhou, wǒmen yě kàn

电视。
diànshì.

(二)

张 力 是 北京 大学 的 学生，他 学习
Zhāng Lì shì Běijīng Dàxué de xuésheng, tā xuéxí

英语。今天，他们 有 英语 课。老师 说
Yīngyǔ. Jīntiān, tāmen yǒu Yīngyǔ kè. Lǎoshī shuō

111

英语，不说 汉语。
Yīngyǔ, bù shuō Hànyǔ.

老师 说："同学们 好！" 学生 说：
Lǎoshī shuō: "Tóngxuémen hǎo!" Xuésheng shuō:
"老师 好！"
"Lǎoshī hǎo!"

学生 学习 生词，念 课文。老师 问
Xuésheng xuéxí shēngcí, niàn kèwén. Lǎoshī wèn
问题，学生 回答。
wèntí, xuésheng huídá.

晚上， 张 力复习 旧课， 预习 新课，
Wǎnshang, Zhāng Lì fùxí jiù kè, yùxí xīn kè,
听录音，作 练习。有 时候， 他 也看 电视。
tīng lùyīn, zuò liànxi. Yǒu shíhou, tā yě kàn diànshì.

三、生词　New Words

1. 复习　　　（动）　fùxí　　　　to review
2. 预习　　　（动）　yùxí　　　　to preview
3. 看　　　　（动）　kàn　　　　to look, to watch, to read
4. 电视　　　（名）　diànshì　　　T.V.
5. 说　　　　（动）　shuō　　　　to say, to speak
6. 晚上　　　（名）　wǎnshang　　evening
7. 课文　　　（名）　kèwén　　　text
8. 练习　　（名、动）liànxí　　　exercise, to practise
9. 有时候　　　　　yǒushíhou　　sometimes
10. 张力　　　（专）　Zhāng Lì　　Zhang Li, *a person's name*
11. 北京大学（专）Běijīng Dàxué　Beijing University
12. 今天　　　（名）　jīntiān　　　today
13. 课　　　　（名）　kè　　　　　lesson
14. 们　　　　（尾）　men　　　　*a plural suffix*
15. 问　　　　（动）　wèn　　　　to ask
16. 问题　　　（名）　wèntí　　　question
17. 回答　　　（动）　huídá　　　to answer

113

补充生词 Additional Words

1. 听写 （动） tīngxiě   to dictate, to have a dictation
2. 复述 （动） fùshù   to retell
3. 录音机 （名） lùyīnjī   tape-recorder
4. 磁带 （名） cídài   magnetic tape
5. 录像 （名） lùxiàng   video

四、注释 Notes

① 词尾 "们" Plural suffix 们

"们"是表示复数的词尾，只用在指人的名词或代词后边。汉语的名词可以表示单数，也可以表示复数，所以，当上下文已经表明名词是复数时，后面不再用 "们"。

The suffix 们 is used after a personal pronoun or a noun which indicates a person in order to show plurality. A noun in Chinese can indicate either the singular or the plural. If the context makes it clear that the noun is plural, 们 is not used.

五、语法 Grammar

1. 动词谓语句 Sentence with a verbal predicate

谓语主要成分是动词的句子叫动词谓语句。动词如果带宾语，宾语一般在动词的后边。例如：

This kind of sentence takes a verb as its predicate. If the verb takes an object, the object is usually placed after the verb, e.g.

他们工作。

我们学习汉语。

2. 动词谓语句的否定 Negation of a sentence with a verbal predicate

动词谓语句的一种否定形式是在谓语动词前加"不"，表示"经常不…""不愿意…""将不…"等意思。例如：

One of the negative forms of a sentence with a verbal predicate is constructed by using the adverb 不 before the verb, e.g.

他学习汉语，不学习法语。

我不看杂志，我看画报。

六、练习 Exercises

1. 给下面的动词配上宾语：

Give a proper object to each of the following verbs:

例 Example:

复习

复习生词　　　复习汉字

复习课文　　　复习旧课

(1)学习　　　　(2)预习

(3)作　　　　　(4)看

(5)说　　　　　(6)念

(7)写　　　　　　　(8)听

(9)问　　　　　　　(10)回答

2. 根据课文（二）回答问题：

Answer the questions according to Text (2):

（1）张力是哪个学校的学生？

（2）张力学习什么？

（3）今天他们有没有英语课？

（4）他们的老师说不说英语？

（5）谁问问题？谁回答？

（6）晚上张力作什么？

3. 根据实际情况回答问题：

Give your own answers to the following questions:

（1）你在哪个学校学习？

（2）你们班同学多吗？

（3）你们有几个老师？

（4）你们的老师说不说英语？

（5）你们今天有没有汉语课？

（6）晚上你作什么？

4. 朗读并抄写下面短文：

Read and copy the following passage:

哈利和谢力是同学。晚上，哈利去谢力的宿舍。谢力的屋子不太大，但是很干净。

哈利：谢力，你好！

谢力：哈利，你好！

哈利：今天晚上你作什么？

谢力：我复习生词，念课文，写汉字，听录音，预习新课。你呢？

哈利：我也复习旧课，预习新课。我们一起 (yìqǐ together) 学习，好吗？我念生词，你写；你念课文，我听；我问问题，你回答；你问问题，我回答。

谢力：好，我们一起学习。

5. 根据拼音写出汉字：

Write the following phonetic transcriptions as Chinese characters:

学 { xuéxiào
xuéyuàn
dàxué

习 { xuéxí
fùxí
yùxí
liànxí

课 { Hànyǔ kè
Yīngyǔ kè
xīn kè
jiù kè

汉字表　Table of Chinese Characters

1	复	丿 亻 亻 亼 台 白 复 复 复	復
2	预	予（ 丆 マ 了 予 ）	預
		页（ 一 丆 丆 页 页 页 ）	
3	看	手（ 丿 二 三 手 ）	
		目（ 丨 冂 冃 月 目 ）	
4	电	丨 口 曰 日 电	電
5	视	礻（ 丶 丆 オ 礻 ）	視
		见（ 丨 冂 见 见 ）	
6	说	讠	说
		兑（ 丶 丷 丷 兯 台 兑 兑 ）	
7	晚	日	
		免（ 丿 夕 夕 台 台 台 免 ）	
8	上	丨 卜 上	
9	课	讠	課
		果（ 丨 口 曰 日 旦 甲 果 果 ）	
10	练	纟（ 乚 纟 纟 ）	練
		东（ 一 乜 车 车 东 ）	

11	时	日		時
		寸		
12	候	亻（丿 亻 亻）		
		丄		
		矢（丿 乚 二 乍 矢）		
13	今	丿 人 亽 今		
14	问	门		問
		口		
15	题	是		題
		页		
16	回	口		
		口	‖ 冂 回 回
17	答	竹（丿 ⺮ ⺮ 竹）		
		合（丿 人 亽 合）		

第十四课　Lesson 14

我常看中文画报。
我们是学生，他们也都是学生。
我们一起去教室。

1. 你常看中文画报吗？
   我常看中文画报。

看，	电视
看，	电影
去，	图书馆
去，	阅览室
借，	书

2. 图书馆有中文书，也有外文书。

   新杂志，旧杂志
   中文报，外文报
   中文画报，英文画报
   英文小说，法文小说

120

3. 我看电影，他
也看电影，我
们都看电影。

听，	录音
念，	课文
作，	练习
复习，	旧课
预习，	新课

4. 她们是学生，
你们也都是学
生。

工人	工程师
大夫	我的同学
留学生	

5. 你们一起去哪儿？
我们一起去教室。

宿舍	图书馆
阅览室	北京大学
他家	

6. 你们班只有男同学吗？

日本学生，	外国留学生
中国同学，	英国同学
男老师，	女老师
英国老师，	中国老师

不，我们班也有女同学。

二、课文　Text

（一）

A: 你去哪儿？
Nǐ qù nǎr?

B: 我去图书馆。你去不去？
Wǒ qù túshūguǎn.　Nǐ qù bu qù?

A: 我也去。我们一起去，好吗？
Wǒ yě qù.　Wǒmen yìqǐ qù,　háo ma?

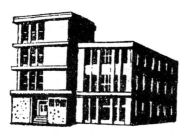

B: 好。
Hǎo.

A: 你常去图书馆吗？
Nǐ cháng qù túshūguǎn ma?

B: 常去。你也常去吗？
Cháng qù. Nǐ yě chángqù ma?

A: 我不常去。你借书吗？
Wǒ bù cháng qù.　Nǐ jiè shū ma?

B: 我借书，也还书。
Wǒ jiè shū,　yě huán shū.

A: 图书馆只有中文小说，没有
Túshūguǎn zhǐ yǒu Zhōngwén xiǎoshuō,　méi yǒu

外文 小说 吗？
wàiwén xiǎoshuō ma?

B: 不，那儿有 中 文 小说，也有外文
Bù, nàr yǒu Zhōngwén xiǎoshuō, yě yǒu wàiwén

小说。
xiǎoshuō.

（二）

这是阅览室。这儿有 中文 杂志，也有
Zhè shì yuèlǎnshì. Zhèr yǒu Zhōngwén zázhì, yě yǒu

外文 杂志。
wàiwén zázhì.

一个 学生 问
Yí ge xuésheng wèn

工作 人员：
gōngzuò rényuán:

"同志， 这儿有
"Tóngzhì, zhèr yǒu

英文 杂志吗？"
Yīngwén zázhì ma?"

"有。这些 都是 英文 杂志。"
"Yǒu. Zhè xiē dōu shì Yīngwén zázhì."

"那些也都是 英文 杂志吗？"
"Nà xiē yě dōu shì Yīngwén zázhì ma?"

"是的①，那些也都是 英文杂志。"

"Shìde, nà xiē yě dōu shì Yīngwén zázhì."

"哪 些 是 新 杂志？"

"Nǎ xiē shì xīn zázhì?"

"这 些 是 新 杂志， 你 看 哪本？"

"Zhè xiē shì xīn zázhì, nǐ kàn nǎ běn?"

"我 看 这 本。"

"Wǒ kàn zhè běn."

阅览室 很 安静， 也 很 干净。学生们

Yuèlǎnshì hěn ānjìng, yě hěn gānjing. Xuéshengmen

常常② 去 阅览室。

chángcháng qù yuèlǎnshì.

三、生词 New Words

1. 常　　　　（副）　cháng　　　　often
2. 电影　　　（名）　diànyǐng　　　film
3. 图书馆　　（名）　túshūguǎn　　library
4. 阅览室　　（名）　yuèlǎnshì　　reading-room
5. 借　　　　（动）　jiè　　　　to borrow, to lend
6. 外文　　　（名）　wàiwén　　foreign language
7. 小说　　　（名）　xiǎoshuō　　novel
8. 一起　　　（副）　yìqǐ　　　together
9. 只　　　　（副）　zhǐ　　　only

124

10. 还	(动)	huán	to return
11. 人员	(名)	rényuán	(member of) personnel
12. 同志	(名)	tóngzhì	comrade
13. 些	(量)	xiē	some
14. 安静	(形)	ānjìng	quiet
15. 常常	(副)	chángcháng	often

补充生词 Additional Words

1. 借书证		jièshūzhèng	library card
2. 书名	(名)	shūmíng	title of a book
3. 目录	(名)	mùlù	catalogue
4. 日期	(名)	rìqī	date
5. 姓名	(名)	xìngmíng	full name

四、注释 Notes

① "是的"

在对话中，如果同意对方的提问，可以回答"是"，也可以回答"是的"，意思一样。

In conversation, when one agrees with another person, one may reply with 是 or 是的, which are the same in meaning.

② "常"和"常常" 常 and 常常

副词"常"在句子中也可说成"常常"，意思一样。但"不常"不能说成"不常常"。

The adverb 常 can be repeated as 常常 in discourse, but the

negative form of 常常 is　不常, never 不常常.

五、语法　Grammar

1．状语　Adverbial adjunct

在句子中，动词、形容词前面的修饰成分叫状语，被修饰的成分叫中心语。经常作状语的是副词、形容词等。例如：

An adverbial adjunct is a modifier used before a verb or an adjective which is called the central word.　Adverbs and adjectives, etc.,　can be used as adverbial adjuncts, e.g.

他常看中文杂志。

我们一起去图书馆。

他们努力学习汉语。

2．"都"和"也"　都 and 也

"都"表示总括全部。所总括的对象一般放在"都"前。例如：

The adverb 都 refers inclusively to all that goes before it, e.g.

他们都看电视吗？

这些学生都很努力。

"也"表示两事相同。可以指主语，也可以指谓语。例如：

The adverb 也 implies that two actions or events are similar. It may refer to either the subject or the predicate, e.g.

他写汉字，我也写汉字。

我看中文画报，也看英文画报。

"都"和"也"必须放在动词或形容词前，不能放在主语前。

不能说"他学习汉语，也我学习汉语"；"都我们学习汉语"。

Both 都 and 也 must be placed before a verb or an adjective, and they cannot appear before the subject of a sentence. So it would be incorrect to say 他学习汉语，也我学习汉语, or 都我们学习汉语.

"都"和"也"并用时，"也"用在"都"前。例如：

When they are used together, 也 should precede 都, e.g.

她们去图书馆，我们也都去图书馆。

3. 用"……，好吗？"提问

Make a question with ..., 好吗？

用"……，好吗？"提问，常常是用前边的陈述句部分提出建议，用"好吗"征求对方的同意。例如：

This kind of question is formed by a statement conveying a suggestion plus the tag 好吗 to solicit approval, e.g.

我们一起去图书馆，好吗？

我问问题，你回答，好吗？

4. 量词"些" Measure word 些

"些"表示不定的数量，常和"这""那"等连用。例如：

The measure word 些 indicates an indefinite quantity. It is often used together with 这, 那, etc., e.g.

这些教室都很干净。

那些人都是我的朋友。

"些"只能和数词"一"结合，不能和其他数词连用。例如：

些 can only be used together with the numeral 一. It

cannot be used together with any other numerals, e.g.

我有一些中文杂志。

他有一些外文小说。

六、练习 Exercises

1. 按照正确的语序把下列词语组成句子：
Rearrange the scrambled words and phrases, to form correct sentences:

(1) 不 太 大 我们的 图书馆

(2) 安静 很 阅览室

(3) 常 我们 中国 看 电影

(4) 汉语 和 都 哈利 我 学习

(5) 一起 我们 复习 和 课文 生词

(6) 借 常 张力 小说 外文

(7) 他们 去 一起 常 图书馆

(8) 看 他们 电视 晚上 一起 今天

2. 用"也"、"都"、"常"、"一起"、"只"填空：
Fill the blanks, with 也，都，常，一起 or 只：

哈利是留学生，他学习汉语。哈利有一个同学，叫谢力。谢力 ＿＿＿ 是留学生，他 ＿＿＿ 学习汉语。

哈利＿＿＿ 去图书馆，谢力 ＿＿＿ 去图书馆。他们 ＿＿＿借外文小说。今天哈利和谢力 ＿＿＿去图书馆。哈利＿＿＿还书，不借书。谢力借书，不还书。

3. 根据实际情况回答问题：
Give your own answers to the questions:

（1）你们学校的图书馆大不大？

（2）你们的图书馆有中文小说吗？

（3）你常去图书馆吗？

（4）你常去阅览室吗？

（5）阅览室安静不安静？

（6）阅览室有什么文杂志？

（7）你常和谁一起去图书馆、阅览室？

（8）你常借什么书？什么杂志？

4. 朗读下面对话：
Read the following dialogue:

在 图 书 馆

A： 你好！

B： 你好！你借书吗？

A： 我借书，也还书。我还这本书。

B：你借什么书？

A：我借英文书。有英文小说吗？

B：有。这些都是英文小说。你借几本？

A：我借两本。

B：你借哪两本？

A：我借这两本。

B：你只借英文小说吗？

A：是的，我只借英文小说。

5. 根据拼音写出汉字：

Write the following phonetic transcriptions as characters:

电 { diànyǐng / diànshì }　　室 { jiàoshì / yuèlǎnshì }　　图 { dìtú / túshūguǎn }

汉字表 Table of Chinese Characters

1	常	𫩏（ ⺀ ⺀ ⺀ ⺀ ⺀ ）	
		吊（ ⼝ ⼝ ⺄ 吊 ）	
2	影	日	
		京	
		彡（ ノ ⼃ 彡 ）	
3	馆	饣（ ノ ⼂ 饣 ）	館
		官（ 宀 宀 宀 宀 官 官 ）	

4	阅	门		閱
		兑		
5	览	业（ᐟ ᐟᐟ ᐟᐟ ᐟᐟ ᐟᐟ ）		覽
		见		
6	借	亻		
		昔（一 十 廿 共 昔 ）		
7	起	走	土	
			止	
		己（㇆ ㇆ 己 ）		
8	只	口		
		八		
9	还	不		還
		辶		
10	员			員
11	些	此（ᐟ 丨 止 止 此 此 ）		
		二		
12	静	青（一 ニ 丰 主 青 ）		
		争（ᐟ ᐟ ᐟ 互 互 争 ）		

第十五课　Lesson 15

这支钢笔是他的。
你看电视还是看电影？

一、替换练习　**Substitution Drills**

1. 这支钢笔是
   他的吗？
   这支钢笔是
   他的。

这本小说	这本杂志
这个本子	这本词典
这件毛衣	这张画儿

2. 这件毛衣是
   谁的？
   这件毛衣是
   我的。

他	丁文	哈利
小王	张老师	

3. 你的毛衣是不是新的？
   我的毛衣不是新的。

白	红	黄
蓝	白	黑

4. 你看电视还是看
电影？
我看电影。

| 复习生词，念课文 |
| 听录音，作练习 |
| 看画报，看杂志 |
| 去操场，去商店 |

5. 今天的电影是中文的还
是英文的？
今天的电影是中文的。

| 英文，法文 |
| 中国，外国 |
| 法国，中国 |
| 彩色，黑白 |

二、课文 Text

（一）

操 场 上① 有一件毛衣。一个同学 问：
Cāochǎng shang yǒu yí jiàn máoyī.　Yí ge tóngxué wèn:

"哈利，这件毛衣 是你的吗？"
"Hālì,　zhè jiàn máoyī shì　níde ma?"

"不是，我的毛衣是蓝的，不是黑的。"
"Bú shì,　wǒ de máoyī shì lánde,　bú shì hēide."

"这件毛衣是不是 丁 文 的？他的毛衣
"Zhè jiàn máoyī shì bu shì Dīng Wén de?　Tā　de máoyī

是 什么 颜色的？"
shì shénme　yánsède?"

133

"丁 文 有 一 件 黑毛衣。他的毛衣是
"Dīng Wén yǒu yí jiàn hēimáoyī.   Tā de máoyī shì

旧的 ，不是新的，这 件不是 他的。"
jiù de,   bú shì xīn de,   zhè jiàn bú shì tā de."

"这 件毛衣 是谁的？"
"Zhè jiàn máoyī shì shuíde?"

"小 王也有一件黑毛衣，这 件毛衣是
"Xiǎo Wáng yě yǒu yí jiàn hēi máoyī,   zhè jiàn máoyī shì

不是他的？"
bu shì tāde?"

(二)

A: 今天 晚上 有 电影，你看吗？
Jīntiān wǎnshang yǒu diànyǐng,   nǐ kàn ma?

B: 什么 电影？ 是 中文 的还是英文的？
Shénme diànyǐng?   Shì Zhōngwén de háishi Yīngwén de?

134

A: 是 中文 的。
Shì Zhōngwén de.

B: 是彩色的还是黑白的?
Shì cǎisède háishì hēibáide?

A: 是彩色的。 小 王 说这个 电影 很 有
Shì cǎisède.　Xiǎo Wáng shuō zhège diànyǐng hěn yǒu

意思, 你看不看?
yìsi,　　nǐ kàn bu kàn?

B: 我 想 看, 可是没 有票。
Wǒ xiǎng kàn,　kěshì méi yǒu piào.

A: 没关系, 小 王 有 三 张 票, 我们 和
Méi guānxi, Xiǎo Wáng yǒu sān zhāng piào,　wǒmen hé

他一起去。
tā · yìqǐ qù.

三、生词　New Words

1. 件　　　（量）jiàn　　　*a measure word· for*
clothes, luggage, etc.

2. 毛衣　　（名）máoyī　　sweater, pullover,
knitted woollen jacket

3. 小王　　（专）Xiǎo Wáng　Xiao (Little) Wang

4. 红　　　（形）hóng　　　red

5. 黄　　　（形）huáng　　yellow

6. 蓝　　　（形）lán　　　blue

135

7. 白	（形）	bái	white
8. 黑	（形）	hēi	black
9. 还是	（连）	háishì	or
10. 操场	（名）	cāochǎng	playground
11. 商店	（名）	shāngdiàn	shop
12. 法国	（专）	Fǎguó	France
13. 彩色	（名）	cǎisè	colour
14. 黑白	（名）	hēibái	black-and-white
15. 上	（名）	shàng	up, above
16. 颜色	（名）	yánsè	colour
17. 有意思		yǒu yìsi	interesting
18. 想	（动、能动）	xiǎng	to want, think
19. 可是	（连）	kěshì	but
20. 票	（名）	piào	ticket
21. 没关系		méi guānxi	It doesn't matter.

补充生词　Additional Words

1. 绿	（形）	lù	green
2. 深（绿）	（形）	shēn(lù)	dark (green)
3. 浅（绿）	（形）	qiǎn(lù)	light (green)
4. 灰	（形）	huī	grey

5. 紫　　　(形) zǐ　　　　　purple

四、注释　Notes

① 操场上

"上"用在名词后，表示处所，指名词所代表的物体的表面或顶部。如"桌子上"，"柜子上"。

上 used after a noun indicates the surface or top of what the noun represents, e.g. 桌子上，柜子上。

五、语法　Grammar

1. "是"字句（二）The 是-sentence (2)

名词、人称代词、形容词等后边加上"的"，可以组成"的"字短语，"的"字短语使用起来相当于一个名词。"是"字句（二）的谓语就是由"是"加"的"字短语构成的。例如：

A noun, personal pronoun or an adjective plus 的 forms a 的-phrase which is equivalent to a noun and can be used as a part of the predicate of a 是-sentence, e.g.

这本小说是老师的。

（老师的＝老师的小说）

那件毛衣是他的。

（他的＝他的毛衣）

"是"字句（二）的否定式和"是"字句（一）一样，也是在"是"前加"不"。例如：

The negative form of both type one and type two of the 是-sentence is constructed by putting 不 before 是, e.g.

这本小说不是老师的。

那件毛衣不是他的。

2. 选择疑问句 Choice-type question

提问时，用连词"还是"连接两种可能的答案，由回答的人选择其中之一。这种问句叫选择疑问句。例如：

The choice-type question is composed of two (or three) alternatives connected by 还是. It requires making a choice between them, e.g.

你去还是他去？

——他去。

你去教室还是去图书馆？

——我去教室。

六、练习 Exercises

1. 仿照例子回答问题：

Answer the questions, following the example:

例 Example：

这本书是老师的吗？（我的）

这本书不是老师的，这本书是我的。

（1）这件红毛衣是丁文的吗？（小张的）

（2）这张票是你的吗？（小王的）

（3）你的毛衣是不是黄颜色的？（蓝颜色）

（4）今天的电影是彩色的吗？（黑白的）

（5）这些画报是新的吗？（旧的）

（6）你家的电视是黑白的吗？（彩色的）

2. 仿照例子造选择疑问句并回答：

Make choice-type questions and then give the answers, following the example:

例 Example:

杂志　英文的　法文的

这本杂志是英文的还是法文的？

这本杂志是法文的。

（1）教室　中国同学的　外国留学生的

（2）电影　黑白的　彩色的

（3）毛衣　你的　丁文的

（4）张力　学习法语　学习英语

（5）你　去宿舍　去商店

（6）你们　看电影　看电视

3. 根据课文（一）（二）回答问题：

Answer the questions according to texts (1) and (2):

（1）哪儿有一件毛衣？

（2）那件毛衣是什么颜色的？

（3）哈利的毛衣是什么颜色的？

（4）丁文有没有黑毛衣？

（5）丁文的黑毛衣是新的还是旧的？

（6）那件毛衣是不是丁文的？

· · ·

（7）今天晚上的电影是中文的还是英文的？

（8）今天晚上的电影是彩色的还是黑白的？

（9）谁说这个电影很有意思？

（10）你想不想看？

（11）你有没有票？

（12）谁有票？

（13）你们和谁一起去看电影？

4. 根据实际情况回答问题：
Give your own answers to the questions:

（1）你有没有钢笔？你的钢笔是什么颜色的？

（2）你有没有圆珠笔？你的圆珠笔是什

么颜色的？

（3）你的钢笔和圆珠笔是新的还是旧的？

（4）你们宿舍有电视吗？是黑白的还是彩色的？

（5）你常看电影还是常看电视？

5.根据拼音写出汉字：

Write the following phonetic transcriptions as Chinese characters:

色 $\begin{cases} \text{yánsè} \\ \text{cǎisè} \end{cases}$ 是 $\begin{cases} \text{dànshì} \\ \text{kěshì} \\ \text{háishì} \end{cases}$ 同 $\begin{cases} \text{tóngzhì} \\ \text{tóngxué} \end{cases}$

汉字表 **Table of Chinese Characters**

1	件	亻	
		牛（ノ ⺅ 二 牛 ）	
2	毛		
3	衣	丶 一 ⺈ ⺆ 𧘇 衣	
4	红	纟	红

		工	
5	黄	卝（一 十 卝 卝）	
		由（丨 冂 日 由 由）	
		八	
6	蓝	艹（一 十 艹）	藍
		朳	
		皿（丨 冂 卬 皿 皿）	
7	白		
8	黑	里（丨 冂 日 日 旦 甲 甲 里）	
		灬（丶 丶丶 灬 灬）	
9	操	扌	
		品（口 吕 品）	
		木	
10	场	土	場
		㐆（㇆ 彑 㐆）	
11	商	丶 亠 产 产 产 商 商	
12	店	广	
		占（丨 卜 占）	

13	彩	采（ノ ㇉ ⼍ ⼌ ⼍ 平 采 采）	
		彡	
14	色	⼃ ⼌ 色	
15	颜	彦（丶 ⼀ ⼍ 亠 立 产 彦）	顏
		页	
16	意	音	
		心	
17	思	田	
		心	
18	想	相 木	
		目	
		心	
19	可		
20	票	西（⼀ 丆 襾 西 两 西）	
		示（二 示）	
21	关	丶 ⼍ ⼌ 兰 关 关	關
22	系	一	係
		糸（ノ ㇉ ⼂ 糸）	

143

第十六课　　**Lesson 16**

你们班有多少（个）同学？
我们班有三十二个同学。
这件毛衣二十四块零九分（钱）。

一、替换练习　**Substitution Drills**

1. 这是多少？

   这是<u>十二</u>①。

十四	二十	15	22
三十二	四十三	34	40
五十	六十二	52	64
七十一	八十五	78	92
九十四	一百	89	104
一百零一	一百一十		

2. 你们班有多少（个）同学？

我们班有<u>二十三</u>个同学。

四十一	五十三
二十五	六十六
七十四	八十八
九十七	

3. 这件毛衣多少钱？

这件毛衣<u>二十五块八（毛）</u>。

二十二块三（毛）	27.4元
二十四块	35.7元
三十八块六（毛）	53.2元
六十五块四（毛）	88.1元
九十一块七毛六（分）	49.86元
一百零六块八（毛）	118.15元

4. 这两件衬衣（衬衫）一共多少钱？

一共<u>二十块零六分</u>。

二十一块零八分	17.04元
十八块零六（分）	20.10元
三十块零五毛	23.06元
二十四块九毛四（分）	30.02元
二十块零七毛二（分）	19.08元

二、课文　Text

我去 商 店 买衣服。这个 商 店 很大，
Wǒ qù shāngdiàn mǎi yīfu.　Zhè ge shāngdiàn hěn dà,

东西 很 多。
dōngxi hěn duō.

我说："同志！"
Wǒ shuō: "Tóngzhì!"

售货员 问："您要什么？"
Shòuhuòyuán wèn: "Nín yào shénme?"

"我要毛衣。"
Wǒ yào máoyī."

"要 什么 颜色的？"
"Yào shénme yánsède?"

"要 红的。"
"Yào hóngde."

"这 件 怎么样？"
"Zhè jiàn zěnmeyàng?"

"对不起，我 想 要那一件。"
"Duì bu qǐ, wǒ xiǎng yào nà yí jiàn."

"这件吗？ 您 看 怎么样？"
"Zhè jiàn ma? Nín kàn zěnmeyàng?"

"颜色很好，不大，也不小。我 要 这
"Yánsè hěn hǎo, bú dà, yě bù xiǎo. Wǒ yào zhè
件。"
jiàn."

"还 要 别的吗？"
"Hái yào biéde ma?"

"还 要 两 件 衬衣：一件黄的， 一件
"Hái yào liǎng jiàn chènyī: yí jiàn huángde, yí jiàn
白的。一共 多少 钱？"
báide. Yígòng duōshao qián?"

147

"一共·五十六 块 零 八分。"

"Yígòng wǔshíliù kuài líng bāfēn."

"给 您 钱。"

"Gěi nín qián."

"您这是六十块，找 您三 块 九毛二。"

"Nín zhè shì liùshí kuài, zhǎo nín sān kuài jiǔ máo èr."

"谢谢。"

"Xièxie."

"再见。"

"Zàijiàn."

三、生词　New Words

1. 多少　（代）duōshao　how many, how much

2. 百　（数）bǎi　hundred

3. 零　（数）líng　zero

4. 钱　（名）qián　money

5. 块〔元〕（量）kuài[yuán]　*yuan*, the basic unit of Chinese money

6. 毛〔角〕（量）máo[jiǎo]　*mao (jiao)*, one tenth of a *yuan*

7. 分　（量）fēn　*fen*, one tenth of a *jiao*

8. 衬衣　（名）chènyī [chènshān]

　〔衬衫〕　shirt

9. 一共	（副）	yígòng	altogether
10. 买	（动）	mǎi	to buy
11. 衣服	（名）	yīfu	clothes
12. 东西	（名）	dōngxi	thing
13. 售货员	（名）	shòuhuòyuán	shop assistant
14. 要	（动）	yào	to want
15. 怎么样	（代）	zěnmeyàng	how
16. 对不起		duìbuqǐ	sorry, excuse me
17. 还	（副）	hái	in addition, else, still
18. 别的	（代）	biéde	other
19. 给	（动）	gěi	to give
20. 找	（动）	zhǎo	to give (sb.) change
21. 再见	（动）	zàijiàn	goodbye

补充生词　Additional Words

1. 上衣	（名）	shàngyī	jacket, coat
2. 裤子	（名）	kùzi	trousers
3. 鞋	（名）	xié	shoe(s)
4. 袜子	（名）	wàzi	sock(s), stocking(s)
5. 手套	（名）	shǒutào	glove(s)

四、注释 Notes

① "二"

在 "10" 以上数目中的 "2"，如12、20、22、32等，不管后边有没有量词，都用 "二"，不用 "两"（参见第十一课注释②）。

When 2 occurs in numbers above 10, such as 12, 20, 22, 32, etc., it must be expressed by 二, instead of 两 no matter whether there is a measure word after it or not (see Note 2, Lesson 11).

五、语法 Grammar

1. 称数法（一） Numeration of numbers

汉语用 "十进法" 来称数。如：

In Chinese, the decimal system is used for numeration, e.g.

一 二 三 四 五 六 七 八 九 十

十一 十二 十三 十四 …………二十

二十一 二十二 二十三…………三十

………………………… 九十九 一百

一百零一 一百零二 ………一百一十

一百一十一 一百一十二 …一百二十

2. 疑问代词 "多少" Interrogative pronoun 多少

"多少" 一般用来提问 "十" 以上的数目（买东西问价钱时不限）。"多少" 和名词之间，可以用量词，也可以不用。例如：

多少 is normally used to ask about any number above 10

(There is no such restriction when asking how much money).
The use of a measure word between 多少 and the noun is
optional, e.g.

你们班有多少（个）学生？

你们学校有多少外国老师？

3. 钱的计算　Counting Chinese money

中国人民币的计算单位是"元""角""分"，口语里常说
"块""毛""分"。例如：

The Chinese monetary units are 元、角、分.　In collo-
quial speech, 元 is called 块, and 角 is called 毛, e.g.

1.25元——一元二角五分——一块二
毛五（分）

24.2元——二十四元二角——二十四
块二（毛）

16.03元——十六元零三分——十六
块零三（分）

最后的单位也可以省去不说。但中间如果有两个以上的零，
则最后的单位必须说出。例如：

When a sum of money involves consecutive monetary units,
the smallest unit need not be named. However, if there are two
or more zeroes in the middle of the number, the final unit must
be expressed, e.g.

10.08元——十块零八分

如果钱数只有"块""毛"或"分"一个单位，口语中常常在最后用上一个"钱"字。例如：

In colloquial speech, when only one of the units 块，毛，分 is used in a price, 钱 is usually added after it, e.g.

45.00元——四十五元——四十五块（钱）

2.00元——两元——两块（钱）

0.20元——两角——两毛（钱）

0.02元——二分——二分（钱）

如果"2毛"在一个钱数中间时，常常说"二毛"，如"一块二毛五（分）"；如果在一个钱数的开头，则要说"两毛"，如"两毛二（分）"。"二分"单用时也可以说成"两分"。

If 2 毛 occurs in the middle of a number, it is often said as 二毛, e.g. 一块二毛五（分）; if it occurs at the beginning of the number, it is said as 两毛, e.g. 两毛二分. 二分 can also be said as 两分 when it occurs alone.

六、练习 Exercises

1. 用汉语说出下列钱数：

Say the following sums of money in Chinese:

(1) 2.2元　　　　　　(2) 10.2元

(3) 35.89元　　　　　(4) 1.22元

(5) 6.07元　　　　　(6) 100.02元

（7）20.05元　　　　（8）100元

（9）53.03元　　　　（10）7.42元

（11）46.98元　　　　（12）120.30元

2. 用"几"或"多少"把下列陈述句改为疑问句：

Change the following statements into questions, using 几 or 多少：

（1）他们班有十一个学生。

（2）这儿有一百二十张纸。

（3）这件衬衫九块二。

（4）那个本子九分钱。

（5）这些东西一共四块六。

（6）丁文有两本英语词典。

（7）这是十五张地图：八张世界地图，七张中国地图。

（8）这是十支圆珠笔：五支蓝色的，五支红色的。

3. 根据所给的内容进行会话：

Make up a dialogue for each of the situations given below. Foliow the example:

例：Example:

买本子

买两个本子：一个大的，一个小
的。大本子两毛二，小本子九分
钱，一共三毛一。

A：同志，你好！

B：你好！您要什么？

A：我买本子，要两个：一个大的，一
个小的。

B：这两个本子怎么样？

A：还有别的吗？

B：有。您看，这两个怎么样？

A：这两个很好，我要这两个。一共多
少钱？

B：大本子两毛二，小本子九分钱，一
共三毛一。

A：给您钱。

B：您这是一块，找您六毛九。

A：谢谢！

B：再见！

（1）买地图

买两张世界地图：一张大的，一张小的。大地图一块一，小地图三毛六，一共一块四毛六。

（2）买衬衣

买两件衬衣：一件黄的，一件白的。黄衬衣五块二毛二，白衬衣四块八，一共十块零二分。

4. 根据拼音写出汉字：

Write the following phonetic transcriptions as Chinese characters:

员 { rényuán / shòuhuòyuán }　　的 { wǒde / biéde }　　一 { yìqǐ / yígòng }

么 { shénme / zěnmeyàng }　　起 { yìqǐ / duìbuqǐ }　　衣 { máoyī / yīfu / chènyī }

汉字表　Table of Chinese Characters

1	百		
2	零	雨（一 一 一 一 一 两 雨 雨 雨）	
		令（ノ 人 人 今 令）	
3	钱	钅（ノ ㅏ ㅏ ㅌ 钅）	钱

		戋（ 一 二 て き 戋 ）	
4	块	土	塊
		夬（ ⁻ ユ 尹 夬 ）	
5	分	八	
		刀	
6	衬	衤（ 丶 ⁊ 衤 衤 衤 ）	襯
		寸	
7	共	廿（ 一 十 廿 廿 ）	
		八	
8	买	乛	買
		头（ 丶 丶 ⁻ 头 头 ）	
9	服	月	
		𠳄	
10	东	一 乞 左 东 东	東
11	西		
12	售	隹（ ⺅ ⺅ ⺅ 隹 隹 隹 隹 ）	
		口	
13	货	化（ ⺅ 亻 化 ）	貨

		贝	
14	要	西	
		女	
15	怎	乍（ノ ﾟ 丘 乍 乍）	
		心	
16	样	木	樣
		羊（丶 丷 ﾟﾟ 兰 兰 羊）	
17	对	又	對
		寸	
18	别	另（口 号 另）	
		刂	
19	给	纟	給
		合	
20	找	扌	
		戈（一 弋 戈 戈）	
21	再	一 厂 厅 丙 丙 再	
22	见	见	見

第十七课　Lesson 17

现在九点半。
我们上午八点半上课。
他身体很好。

一、替换练习　**Substitution Drills**

1. 现在几点（钟）？

现在九点半。

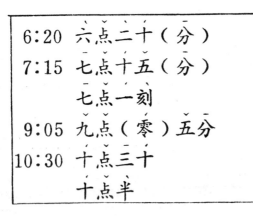

6:20	六点二十（分）
7:15	七点十五（分）
	七点一刻
9:05	九点（零）五分
10:30	十点三十
	十点半

8:12
9:30
10:05
11:35
20:30
12:45

9:45 九点四十五（分）
　　　九点三刻
　　　差一刻十点
11:50 十一点五十（分）
　　　十二点差十分
2:55 两点五十五（分）
　　　差五分三点

2:50
3:15

2. 你们上午几点上课？

我们上午八点半上课。

早上，起床，六点半
早上，吃早饭，七点
上午，去教室，八点二十
中午，下课，十一点五十
中午，吃午饭，十二点

3. 今天你们什么时候听录音？
我们下午两点半听录音。

锻炼身体，　下午四点十分
去商店，　　下午五点
吃晚饭，　　六点
看电影，　　晚上七点一刻

4. 他身体怎么样？　　工作，好
　 他身体很好。　　　学习，努力

二、课文　Text

张力是北京大学的学生。北京大学
Zhāng Lì shì Běijīng Dàxué de xuésheng.　Běijīng Dàxué

很大，学生很多。
hěn dà, xuésheng hěn duō.

张力学习英语。他早上六点十分
Zhāng Lì xuéxí Yīngyǔ.　Tā zǎoshang liù diǎn shí fēn

起床，六点三刻吃早饭，七点半去教
qǐ chuáng,　liù diǎn sān kè chī zǎo fàn,　qī diǎn bàn qù jiào

室，八点钟上课。
shì,　　bā diǎn zhōng shàng kè.

他上午有四节课，差十分十二点下
Tā shàngwǔ yóu sì jié kè,　chà shí fēn shí'èr diǎn xià

课，十二 点吃 午饭。下午四点一刻，张 力
kè,   shí'èr diǎn chī wǔ fàn.   Xiàwǔ sì diǎn yí kè, Zhāng Li

和 同学们 一起去 操场　锻炼 身体。
hé tóngxuémen   yìqi   qù cāochǎng duànliàn shēntǐ.

晚上 他作练习，听录音。有时候， 他
Wǎnshang tā zuò liànxí,   tīng lùyīn.   Yǒu shíhou,   tā

也看 电视 或者 看 电影。他十点 半睡觉。
yě kàn   diànshì huòzhě kàn diànying. Tā shí diǎn bàn shuìjiào.

张 力身体很 好，学习也很努力。
Zhāng Lì shēntǐ hěn hǎo,   xuéxí yě hěn nǔlì.

三、生词　New Words

1.	现在	（名）	xiànzài	now
2.	点（钟）	（量）	diǎn(zhōng)	o'clock
3.	半	（数）	bàn	half
4.	分	（量）	fēn	minute
5.	刻	（量）	kè	quarter
6.	差	（动）	chà	to be short of
7.	上午	（名）	shàngwǔ	morning
8.	上（课）	（动）	shàng(kè)	to attend (class), to give (a lesson)
9.	早上	（名）	zǎoshang	morning

10.	起床		qǐ chuáng	to get up, to get out of bed
11.	吃	(动)	chī	to eat
12.	早饭	(名)	zǎofàn	breakfast
13.	中午	(名)	zhōngwǔ	noon
14.	下（课）	(动)	xià(kè)	(of class) to be over
15.	午饭	(名)	wǔfàn	lunch
16.	时候	(名)	shíhou	time
17.	下午	(名)	xiàwǔ	afternoon
18.	锻炼	(动)	duànliàn	to do physical exercises
19.	晚饭	(名)	wǎnfàn	supper
20.	节	(量)	jié	*a measure word*, period, length
21.	或者	(连)	huòzhě	or
22.	睡觉		shuì jiào	sleep

补充生词 Additional Words

1.	秒	(量)	miǎo	second
2.	中餐	(名)	zhōngcān	Chinese food
3.	西餐	(名)	xīcān	Western food
4.	面包	(名)	miànbāo	bread
5.	牛奶	(名)	niúnǎi	milk

四、语法 Grammar

1. 名词谓语句 Sentence with a noun as its predicate

由名词、名词短语、数量词等作谓语主要成分的句子叫名词谓语句。例如：

This kind of sentence takes a noun, a nominal phrase or a numeral-measure word as its predicate, e.g.

你哪儿人？

——我北京人。

现在九点二十五分。

一件毛衣二十四块八（毛）。

名词谓语句的否定式要在名词谓语前加"不是"。例如：

The negative form of this kind of sentence is constructed by putting 不是 before the predicate, e.g.

我不是北京人。

现在不是九点二十五分。

2. 主谓谓语句 Sentence with a subject-predicate construction as its predicate

由主谓结构作谓语主要成分的句子叫主谓谓语句。例如：

This kind of sentence takes a subject-predicate construction as its predicate, e.g.

他身体好。

我们学校留学生很多。

这种句子的特点是全句的主语和主谓结构里的主语所指的人

或事物有一定的关系，后者常常是属于前者的。

The subject of the sentence and the subject of the subject-predicate construction are closely related, and the latter usually belongs to or is part of the former.

六、练习　Exercises

1. 用汉语说出下列时间：

Say the following units of time in Chinese:

(1) 2:00　(2) 9:10　(3) 8:20

(4) 10:2　(5) 3:05　(6) 4:15

(7) 6:30　(8) 7:45　(9) 5:55

(10) 9:07　(11) 11:40　(12) 12:59

2. 按照括号里的时间用汉字填空并提问：

Fill in the blanks with the Chinese characters for the units of time in parentheses, and then ask questions about the passage:

小王和小白都是北京语言学院的学生，他们都学习英语。他们早上____（6:00）起床，____（6:15）预习新课，____（6:55）吃早饭，____（7:45）去教室，____（8:00）上课。他们上午上四节课，____（12:00）下课。____（12:10）吃午饭。下午 ____ （4：00）锻炼身体，____ （6：00）吃晚饭。晚上____ （7:15）在宿舍复习课文，作练习。有时候他们也看电影或者电视。他们晚上____ （10:30）或者____ （10:40）睡觉。小王和小白学习很好，身体也很好。

3. 按照实际情况回答问题：
Give your own answers to the following questions↓

（1）你早上几点起床？

（2）你早上锻炼身体吗？几点锻炼？

（3）你几点吃早饭？

（4）你上午上几节课？

（5）你上午几点上课？几点下课？

（6）中午你几点吃午饭？

（7）你下午和晚上有课吗？有几节课？

（8）你下午锻炼身体吗？几点锻练？

（9）你几点吃晚饭？

（10）晚上你看电影或者电视吗？

（11）你下午作练习还是晚上作练习？

（12）晚上你什么时候睡觉？

4．仿照课文写出你一天的生活。

Write a short passage on your daily life, imitating the text.

5．根据拼音写出下列空格中的汉字：

Fill in the blanks with appropriate characters according to the given phonetic transcriptions:

kè $\begin{cases} 上\_\_\_ \\ 八点三\_\_\_ \end{cases}$　　yán $\begin{cases} 语\_\_\_学院 \\ \_\_\_色 \end{cases}$

jiàn $\begin{cases} 再\_\_\_ \\ 两\_\_\_衣服 \end{cases}$　　xi $\begin{cases} 东\_\_\_ \\ 没关\_\_\_ \end{cases}$

liàn $\begin{cases} \_\_\_习 \\ 锻\_\_\_ \end{cases}$　　diǎn $\begin{cases} 词\_\_\_ \\ 八\_\_\_（钟） \end{cases}$

zài $\begin{cases} 现\_\_\_ \\ \_\_\_见 \end{cases}$　　diàn $\begin{cases} 商\_\_\_ \\ \_\_\_影 \end{cases}$

jiè $\begin{cases} 世\_\_\_ \\ \_\_\_书 \end{cases}$　　shí $\begin{cases} 有\_\_\_候 \\ 七点四\_\_\_ \end{cases}$

shì $\begin{cases} 电\_\_\_ \\ 教\_\_\_ \end{cases}$　　jiào $\begin{cases} 睡\_\_\_ \\ \_\_\_室 \\ 你\_\_\_什么名字 \end{cases}$

汉字表　Table of Chinese Characters

1	现	王		現
		见		
2	点	占		點
		灬		
3	半	丶 丷 丷 丷 半		
4	刻	亥（丶 亠 亡 岁 亥 亥）		
		刂		
5	差	羊（丶 丷 丷 丷 丷 羊）		
		工		
6	午	丿 丿 午 午		
7	早	日		
		十		
8	吃	口		
		乞（丿 乞 乞）		
9	饭	饣		飯
		反（丿 厂 反 反）		
10	锻	钅		鍛

		段（ ´ ｆ ｆ ｆ ｆ ｊ ｊ ｊ 段 段）	
11	炼	火（ 丶 ⺍ 少 火 ）	煉
		东	
12	节	⺾	節
		卩（ 丁 卩 ）	
13	或	一 ㄷ ㅁ ㅁ 戸 或 或 或	
14	者	耂（ 一 十 土 耂 ）	
		日	
15	睡	目	
		垂（ 一 二 千 千 乖 乖 垂 垂 ）	
16	觉	⺍（ 丶 ⺀ ⺍ ⺍ ）	覺
		见	

第十八课　**Lesson 18**

> 今天星期一。
> 张老师教我们汉语。

一、替换练习　Substitution Drills

1. 今年是一九八七年。

> 去年，一九八六年
> 明年，一九八八年

2. 今天几月几号（日）？
　（昨天几月几号？
　明天几月几号？）
　今天十月十九号（日）。

> 二月十号　　三月八号
> 五月四号　　六月二十号
> 十一月三号　十二月一号

169

3. 今天星期几?

   今天星期一。

星期二	星期三
星期四	星期五
星期六	星期日（星期天）

4. 你们星期几有体育课?

   我们星期二有体育课。

汉语课，	星期一
语法课，	星期三
复习课，	星期四
张老师的课，	星期五
王老师的课，	星期六

5. 张老师教你们什么?
   张老师教我们汉语。

语法	汉字
课文	体育
中国文化	

6. 王老师教他们英语吗?
   王老师不教他们英语。

德语	法语
汉语	体育
语法	课文

二、课文 Text

(一)

一年①有十二个月。这十二个月是:一月、
Yì nián yǒu shí'èr ge yuè. Zhè shí'èr ge yuè shì: Yīyuè,

二月、三月、四月、五月、六月、七月、
Èryuè, Sānyuè, Shìyuè, Wǔyuè, Liùyuè, Qīyuè,

八月、九月、十月、十一月、十二月。
Bāyuè, Jiǔyuè, Shíyuè, Shíyīyuè, Shí'èryuè.

一个星期 有 七天。这七天是:星期一、
Yíge xīngqī yǒu qī tiān. Zhè qī tiān shì: Xīngqīyī,

星期二、星期三、星期四、星期五、星期六、
Xīngqī'èr, Xīngqīsān, Xīngqīsì, Xīngqīwǔ, Xīngqīliù,

星期日(星期天)。
Xīngqīrì (Xīngqītiān).

(二)

A: 今天(几月)几号?
Jīntiān (jǐ yuè) jǐ hào?

B: 今天十二月二十四号。
Jīntiān Shí'èryuè èrshísì hào.

A: 今天星期几?
Jīntiān Xīngqíjǐ?

B: 今天星期五。
Jīntiān Xīngqīwǔ.

A: 上午 你们有几节课?
Shàngwǔ nǐmen yǒu jǐ jié kè?

B: 有四节课, 都 是汉语课。
Yǒu sì jié kè, dōu shì Hànyǔ kè.

A: 谁 教 你们汉语?
Shuí jiāo nǐmen Hànyǔ?

B: 张 老师 教 我们 生词 和 语法, 王
Zhāng lǎoshī jiāo wǒmen shēngcí hé yǔfǎ, Wáng

老师 教 我们课文和汉字。
lǎoshī jiāo wǒmen kèwén hé hànzì.

A: 你们星期几有体育课?
Nǐmen xīngqī jǐ yǒu tǐyù kè?

B: 星期二下午有体育课。
Xīngqī'èr xiàwǔ yǒu tǐyù kè.

A: 谁 教 你们体育?
Shuí jiāo nǐmen tǐyù?

B: 丁 老师。
Dīng lǎoshī.

A: 星期日你们 作什么?
Xīngqīrì nǐmen zuò shénme?

B: 星期日我们休息。我们　常常　去
Xīngqīrì wǒmen xiūxi.　Wǒmen chángcháng qù
看 电影　或者 去 公园 玩儿。
kàn diànyǐng huòzhě qù gōngyuán wánr.

三、生词　New Words

1. 今年	（名）	jīnnián	this year
2. 年	（名）	nián	year
3. 去年	（名）	qùnián	last year
4. 明年	（名）	míngnián	next year
5. 月	（名）	yuè	month
6. 号	（名）	hào	date, day of the month (colloq.)
7. 日	（名）	rì	date, day of the month
8. 昨天	（名）	zuótiān	yesterday
9. 明天	（名）	míngtiān	tomorrow
10. 星期	（名）	xīngqī	week
11. 星期日	（名）	Xīngqīrì	Sunday
12. 星期天	（名）	Xīngqītiān	Sunday (colloq.)
13. 体育	（名）	tǐyù	physical education
14. 语法	（名）	yǔfǎ	grammar
15. 教	（动）	jiāo	to teach

16. 文化	（名）	wénhuà	culture
17. 德语	（名）	Déyǔ	German
18. 法语	（名）	Fǎyǔ	French
19. 天	（名）	tiān	day
20. 休息	（动）	xiūxi	to take a rest
21. 公园	（名）	gōngyuán	park
22. 玩儿	（动）	wánr	to have fun, to carry out any leisure activity

补充生词　Additional Words

1. 上星期	（名）	shàngxīngqī	last week
2. 下星期	（名）	xiàxīngqī	next week
3. 上月	（名）	shàngyuè	last month
4. 下月	（名）	xiàyuè	next month

四、注释　Notes

① "年" "天" 等具有量词性质的名词

Nouns with the characteristics of measure words 年，天

"年" "天" 等名词具有量词性质，前边有数词修饰时，中间不能加量词。如 "一年" 不能说 "一个年"。

Noun such as 年，天 partake of the nature of a measure word, so, when they are modified by a numeral, no measure word is used after that numeral, e.g. 一年 cannot be said as 一个年.

174

五、语法 Grammar

1. 年、月、日和星期 年，月，日 and 星期

汉语年份的读法一般是直接读出数字加年。例如：

A calendar year is expressed by saying the number of the specific year in telephone style (that is, simply listing the digits) in front of 年，e.g.

一九八七年　　(yījiǔbāqīnián)

一九九〇年　　(yījiǔjiǔlíngnián)

汉语十二个月的名称是数字加月。例如：

The names of the twelve months of the year are expressed by putting the number of the specific month in front of 月，e.g.

一月	二月	三月	四月
五月	六月	七月	八月
九月	十月	十一月	十二月

汉语日的读法是数字加日。例如：

The names of dates are expressed by putting the specific number in front of 日，e.g.

一日　二日　三日 ············ 十日

十一日 十二日 十三日 ··········· 二十日

二十一日 二十二日 二十三日 ···三十日

三十一日

在口语里，"日"常常说"号"。

In spoken Chinese, 号 is often used instead of 日 to express dates.

一个星期的名称是：

The names of the days of the week are as follows:

星期一　　　星期二　　　星期三

星期四　　　星期五　　　星期六

星期日（星期天）

2. 年、月、日、时的顺序 The order of 年，月，日，时

年、月、日、时连在一起，顺序是：年——月——日——时

例如：

When given together, the year, month, day and hour are arranged as follows:

一九八七年十月五日下午六时

3. 双宾语动词谓语句 Sentence with a verb taking two objects

动词谓语句中有的谓语动词可以带两个宾语，间接宾语（一般是指人的）在前，直接宾语（一般是指事物的）在后。例如：

The verb in this kind of sentence takes two objects one of which is the indirect object (animate), and the other of which is the direct object (inanimate), e.g.

王老师教他们汉语。

他给我一张电影票。

汉语里能带两个宾语的动词很少，主要有"教""送""给""借""还""问"等。并不是任何一个动词都可以带双宾语。不能说"他买我一本书"，"老师讲我们汉语"。

176

There are not many of this kind of double-object verbs in Chinese. The most frequently used are 教，送，给，借，还，问，etc. By no means can all verbs take two objects, so, we cannot say, for example, 他买我一本书 or 老师讲 (jiǎng, to lecture) 我们汉语.

六、练习　Exercises

1. 根据下面句子的划线部分提问：

Ask questions on the underlined parts of the following sentences：

(1) 今天星期三。

(2) 明天十月二十二号。

(3) 早上我们八点钟上课。

(4) 丁文一九八九年去英国。

(5) 我们一个星期有二十节汉语课。

(6) 张老师教我们中国文化课。

(7) 我们星期四下午有体育课。

(8) 白老师教中国学生英语。

2. 根据实际情况回答问题：

Give your own answers to the following questions：

(1) 今天是几月几号？

(2) 今天星期几？

（3）现在几点钟？

（4）你们今天有汉语课吗？

（5）你们一个星期有几节汉语课？

（6）谁教你们汉语？

（7）你们有没有体育课？星期几有？

（8）你常去公园玩儿吗？星期几去？

3. 按照正确的语序把下列词语组成句子：

Make sentences with the following groups of words and phrases:

（1）他们班　张老师　体育　教

（2）白老师　语法　教　我们班

（3）丁文　一张　电影票　他　给

（4）小王　还　丁文　钢笔　一支

（5）哈利　借　书　两本　图书馆

（6）阅览室　一本　借　杂志　王新

（7）中国文化课　那个班　马老师　教

（8）问　他　我　问题　三个

（9）给　售货员　我　十块钱

（10）三块二　售货员　我　找

4. 阅读下面短文并复述：

Read and retell the following passage:

今天是十月二十三号，星期五。我们上午有四节课：两节汉语课，两节中国文化课。白老师教我们汉语，丁老师上中国文化课。下午我们有两节体育课，张老师教我们体育。明天是星期六，下午没有课，我们休息。明天我和同学一起去公园玩儿。

汉字表　**Table of Chinese Characters**

1	年	ノ ㇒ ㇉ ㇉ ㇌ 年	
2	明	日	
		月	
3	月		
4	号	口 ㇗ 号	號
5	日		
6	昨	日	
		乍	

7	星	日		
		生		
8	期	其（一 十 廾 丗 甘 其 其 其）		
		月		
9	育	云（丶 一 亠 云）		
		月		
10	化	ノ 亻 仩 化		
11	德	彳		
		恵（一 十 十 古 吉 声 吉 吉 恵）		
12	休	亻		
		木		
13	息	自（丶 亻 自 自 自 自）		
		心		
14	公	ノ 八 公 公		
15	园	囗		園
		元（一 二 デ 元）		冂 冏 园
16	玩	王		
		元		

第十九课 Lesson 19

星期日我在家休息。
我从朋友那儿回学校。

一、替换练习 Substitution Drills

1. 你们在哪儿听录音？

   我们在教室听录音。

看电视，	宿舍
看报，	阅览室
买东西，	友谊商店
锻炼身体，	操场

2. 你跟谁一起进城？
   我跟哈利一起进城。

小王	我朋友
张老师	我们班同学

3. 北京大学离你们学校远吗？
   不远，北京大学离这儿很近。

人民大学
清华大学
北京体育学院
北京电影学院
颐和园

4. 明天你几点回学校？
   我四点半回学校。
   你从哪儿回学校。
   我从公园回学校。

北京图书馆
北海公园
友谊商店
大使馆
我朋友那儿
张力那儿

5. 今天晚上你看电视吗？
   看。
   你在谁那儿看？
   我在丁文那儿看。

小王
马老师
白大夫
我同学

二、课文 Text

A: 明 天 是 星期天， 你 在家 休息 还是
　　Míngtiān shì Xīngqītiān,　　nǐ zài jiā xiūxi háishi

上 街?
shàng jiē?

B: 上 街。　我 去 友谊 商店。
　　Shàng jiē.　　Wǒ qù Yǒuyì Shāngdiàn.

A: 友谊 商 店 离这儿 远 吗?
　　Yǒuyì Shāngdiàn lí zhèr yuǎn ma?

B: 友谊 商 店 离这儿 不近。
　　Yǒuyì Shāngdiàn lí zhèr bú jìn.

A: 你去那儿买 什么?
　　Nǐ qù nàr mǎi shénme?

B: 买 衣服。
　　Mǎi yīfu.

A: 为 什么 不在 附近 的 商店 买?
　　Wèishénme bú zài fùjìn de shāngdiàn mǎi?

B: 这儿的衣服 样子 不 好， 颜色 也 不
Zhèr de yīfu yàngzi bù hǎo, yánsè yě bù
好看。
hǎokàn.

A: 你跟 谁一起去？
Nǐ gēn shuí yìqǐ qù?

B: 我 跟哈利一起去。
Wǒ gēn Hālì yìqǐ qù.

A: 你们 还去哪儿？
Nǐmen hái qù nǎr?

B: 我们 还去 大使馆。哈利 的 朋友 在
Wǒmen hái qù dàshǐguǎn. Hālì de péngyou zài
大使馆 工作，哈利去他 朋友 那儿。
dàshǐguǎn gōngzuò, Hālì qù tā péngyou nàr.

A: 大使馆 离友谊 商 店 远 不 远？
Dàshǐguǎn lí Yǒuyì Shāngdiàn yuǎn bu yuǎn?

B: 不 远， 只 有 半公里。
Bù yuǎn, zhǐ yǒu bàn gōnglǐ.

A: 你还去别的地方吗？
Nǐ hái qù biéde dìfang ma?

B: 不去别的地方， 我 从 他 朋友 那儿
Bú qù biéde dìfang, wǒ cóng tā péngyou nàr
回学校。
huí xuéxiào.

三、生词 New Words

1. 友谊商店（专）Yǒuyì Shāngdiàn Friendship Store
2. 跟 （介）gēn with
3. 进 （动）jìn to enter, to go
4. 城 （名）chéng city , downtown
5. 离 （介）lí from
6. 远 （形）yuǎn far
7. 近 （形）jìn near
8. 人民大学（专）Rénmín Dàxué People's University
9. 清华大学（专）Qīnghuá Dàxué Qinghua University
10. 北京体 （专）Běijīng Tǐyù Beijing Academy of
   育学院 Xuéyuàn Physical Education
11. 北京电 （专）Běijīng Diànyǐng Beijing Film Institute
   影学院 Xuéyuàn
12. 颐和园 （专）Yíhéyuán Summer Palace
13. 回 （动）huí to return, to go back
14. 从 （介）cóng from
15. 北京图 （专）Běijīng Túshū Beijing Library
   书馆 guǎn
16. 北海公园（专）Běihǎi Gōngyuán Beihai Park

185

17.	大使馆	（名）dàshǐguǎn	embassy
18.	上（街）	（动）shàng(jiē)	to go (shopping)
19.	街	（名）jiē	street
20.	为什么	wèishénme	why
21.	附近	（名）fùjìn	nearby
22.	样子	（名）yàngzi	shape, appearance
23.	好看	（形）hǎokàn	good-looking
24.	公里	（量）gōngli	kilometre
25.	地方	（名）dìfang	place

补充生词　Additional Words

1.	商场	（名）shāngchǎng	shopping centre
2.	百货公司	bǎihuògōngsī	department store
3.	鞋帽店	（名）xiémàodiàn	shoe & hat shop
4.	食品店	（名）shípǐndiàn	food shop

四、语法　Grammar

1. 介词短语　Prepositional phrases

介词"在""从""跟""离"等同它的宾语组成介词短语，常用在动词前作状语。"在""从""离"的宾语，一般是表示处所的词语，也可以是表示时间的词语。"跟"的宾语如果是指人的名词或代词，常与"一起"连用。如：

A prepositional phrase is formed by a preposition plus its

object, and it is often used as an adverbial adjunct before a verb. The object of the prepositions 在, 从 and 离 is usually a word or phrase of location or time. The object of 跟 is usually a personal noun or pronoun, often used together with 一起, e.g.

星期日他在家休息。

明天我们从他家去公园。

我们的教室离图书馆很近。

你跟谁一起进城?

现在离十二月还有七天。

上午我们从八点开始上课。

"在…""从…"等介词短语一般不能放在谓语动词之后,不能说"他学习在北京大学"。

Prepositional phrases with 在 and 从 etc. cannot usually be placed after the predicate verb, so we cannot say 他学习在北京大学.

2. "在""从"的宾语 Object of 在, 从

指人的名词或代词不能直接作"在""从"的宾语,必须在名词或代词后边加"这儿"或"那儿",使它表示处所。例如:

A noun or pronoun which refers to a person cannot stand alone as the object of 在 or 从. It must be followed by 这儿 or 那儿. The resulting nominal phrase is an object denoting location, e.g.

今天我在他那儿看电视。

明天我从哈利那儿去大使馆。

六、练习　Exercises

1. 从下列词语中选择适当的填入句子空格：
Fill in the blanks with the phrases listed below:

在友谊商店　　从阅览室

在家　　　　　离清华大学

跟他哥哥一起　从图书馆

跟他朋友一起　离颐和园

(1) 明天他哥哥休息，他＿＿进城。

(2) 小王的爸爸星期日＿＿休息。

(3) 哈利＿＿买东西。

(4) 丁文常＿＿借杂志。

(5) 我们学校＿＿很近，我们常去清华大学。

(6) 这儿＿＿不远，星期日我常去颐和园玩儿。

(7) 我们学校的图书馆很大，我常常＿＿借书。

(8) 他朋友上街买衬衫，今天下午他＿＿去。

2. 根据下列句子的划线部分提问:

Ask questions on the underlined parts of the following sentences:

(1) 我常去丁文那儿玩儿。

(2) 我的朋友在北京体育学院工作。

(3) 天安门离我们学校很远。

(4) 星期日我从我朋友那儿去颐和园。

(5) 今天晚上我们在王老师那儿看电视。

(6) 下午我跟哈利一起锻炼身体。

(7) 星期六下午我跟我朋友去大使馆。

(8) 我们学校离北京图书馆十二公里。

3. 阅读然后抄写以下短文并标上调号:

Read and copy the following passage with a proper tonegraph above each character:

明天是星期天,我进城。我想去友谊商店买衣服,还买一些别的东西。友谊商店的衣服样子多,颜色也好看。友谊商店离我们学校很远。明天哈利跟我一起进城。哈利去大使馆,他的朋友在大使馆工作,他去他朋友那儿。大使馆离友谊商店很近，只有半公里。哈利跟我一起去友谊商店，我跟他一起去大使馆。我不去别的地方，下午从他朋友那儿回学校。

4. 根据拼音写出汉字：

Write the following phonetic transcriptions as characters:

午 { shàngwǔ, zhōngwǔ, xiàwǔ　　体 { shēntǐ, tǐyù　　地 { dìtú, dìfang

样 { zěnmeyàng, yàngzi　　馆 { túshūguǎn, dàshǐguǎn　　近 { hěn jìn, fùjìn

汉字表　Table of Chinese Characters

1	谊	讠		誼
		宜	宀	
			且	
2	跟	⻊（口 [illegible] [illegible] [illegible] ⻊）		
		艮		
3	进	井（一 二 井 井）		進
		辶		
4	离	丶 亠 [illegible] [illegible] [illegible] [illegible] [illegible] 离 离 离		離
5	远	元		遠

		辶	
6	近	斤	
		辶	
7	民	⺄ ㄱ ㇆ ㇋ 民	
8	清	氵	
		青	
9	华	化	華
		十	
10	颐	臣 (一 厂 � ㇌ ㇌ ㇌ 臣)	頤
		页	
11	从	人	從
		人	
12	海	氵	
		每 (ノ ⺈ ⺆ 每 每 每)	
13	使	亻	
		吏 (一 ⺋ ⼀ 口 吏 吏)	
14	街	ノ ク 彳 彳 徉 徉 徉 徉 街 街 街 街	
15	为	丶 ノ 为 为	為

191

16	附	阝
		付 亻
		寸
17	里	丨 口 曰 曰 甲 里 里
18	方	丶 亠 方 方

第二十课　Lesson 20

他起得很早。
他写汉字写得不快。
你课文念得熟不熟？

一、替换练习　**Substitution Drills**

哈利六点起床，
他起得很早。
马丁八点起床，
他起得不早，
他起得很晚。

1. 他睡得晚吗？
   他睡得很晚。
   他睡得不晚。

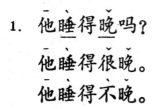

早　晚、快、对
来，
去、跑，
回答，

193

2. 哈利学习什么？

他学习汉语。

他学得怎么样？

他学得很好。

| 丁文，英语 |
| 张力，法语 |
| 他哥哥，德语 |

3. 哈利念课文念得怎么样？

他念课文念得很好。

| 写，汉字 |
| 作，练习 |
| 回答，问题 |
| 说，汉语 |

4. 他写汉字写得快吗？

他写汉字写得很快。

他写汉字写得不快。

| 念生词，清楚 |
| 念课文，熟 |
| 翻译句子，对 |
| 踢足球，好 |
| 跑步，快 |

5. 安娜课文念得熟不熟？

她课文念得很熟。

她课文念得不熟。

问题，回答，对
生词，写，清楚
句子，翻译，好
练习，作，认真

二、课文 Text

哈利学习汉语，他
Hālì xuéxí Hànyǔ, tā

很努力，他学得很好。
hěn nǔlì, tā xué de hěn hǎo.

早上，哈利起得很
Zǎoshang, Hālì qǐ de hěn

早。他常常在操
zǎo. Tā chángcháng zài cāo

场念课文，他课文念得很熟。
chǎng niàn kèwén, tā kèwén niàn de hěn shú.

上午八点上课。哈利七点三刻来
Shàngwǔ bā diǎn shàng kè. Hālì qī diǎn sān kè lái

教室，他来得很早。老师问问题，他回答
jiāoshì, tā lái de hěn zǎo. Lǎoshī wèn wèntí, tā huí dá

得 很对，翻译句子也翻译得很好。
de hěn duì, fānyì jùzi yě fānyì de hěn hǎo.

下午,哈利跟 同学
Xiàwǔ, Hālì gēn tóngxué
一起锻炼 身体。他跑
yìqǐ duànliàn shēntǐ. Tā pǎo
得不 慢, 足球踢得很
de bú màn, zúqiú tī de hěn
好,排球打得也不错。
hǎo, páiqiú dǎ de yě búcuò.

晚上，他在宿舍学习。 他练习作 得 很
Wǎnshang, tā zài sùshè xuéxí. Tā liànxí zuò de hěn
认真，汉字写得很清楚。 他十点 半 睡 觉,
rènzhēn, Hànzì xiě de hěn qīngchu. Tā shídiǎn bàn shuì jiào,
他睡 得不晚。
tā shuì de bù wǎn.

星期日，哈利 常 跟 同学一起进 城。
Xīngqīrì, Hālì cháng gēn tóngxué yìqǐ jìn chéng.
他们买东西，看 电影，或者去 公园
Tāmen mǎi dōngxi, kàn diànyǐng, huòzhě qù gōngyuán
玩儿。他们玩儿得很高兴。
wánr. Tāmen wánr de hěn gāoxìng.

三、生词 New Words

1. 起（床） （动） qǐ(chuáng) to get up
2. 得 （助） de *a structural particle*
3. 早 （形） zǎo early
4. 马丁 （专） Mǎdīng Martin
5. 晚 （形） wǎn late
6. 来 （动） lái to come
7. 跑 （动） pǎo to run
8. 快 （形） kuài quick, fast
9. 对 （形） duì right, correct
10. 学 （动） xué to learn, to study
11. 清楚 （形） qīngchu clear
12. 熟 （形） shú fluent, skilled
13. 翻译 （动） fānyì to translate, to interpret
14. 句子 （名） jùzi sentence
15. 踢 （动） tī to kick, to play (football)
16. 足球 （名） zúqiú football
17. 跑步 pǎobù to run (as an exercise)
18. 安娜 （专） Ānnà Anna

197

19.	认真	（形）	rènzhēn	conscientious
20.	慢	（形）	màn	slow
21.	排球	（名）	páiqiú	volleyball
22.	打（球）	（动）	dǎ(qiú)	to play (a ball game)
23.	不错	（形）	búcuò	not bad
24.	高兴	（形）	gāoxìng	glad

补充生词　Additional Words

1.	篮球	（名）	lánqiú	basketball
2.	棒球	（名）	bàngqiú	baseball
3.	乒乓球	（名）	pīngpāngqiú	table-tennis
4.	羽毛球	（名）	yǔmáoqiú	badminton
5.	网球	（名）	wǎngqiú	tennis
6.	太极拳	（名）	tàijíquán	*Taijiquan*, a kind of traditional Chinese shadow boxing

四、语法　Grammar

1. 程度补语　Complement of degree

在汉语里，动词或形容词后边的补充说明成分叫补语，被补充说明的动词或形容词是中心语。有一种补语是用来说明动作达到的程度或动作的情态的，叫程度补语。程度补语和动词之间要用结构助词"得"连接。简单的程度补语一般由形容词充任。动词带程度补语所表示的一般是经常的或者已成事实的情况。例如：

In Chinese, a complement is a supplementary element that is used after a verb or an adjective for further qualification. The qualified verb or adjective is called the central word. One type of complement, which is called a complement of degree, shows the degree an action reaches or the manner in which it is done. The structural particle 得 must be used between the complement of degree and the verb. The simple complement of degree is usually formed by an adjective. The verb with a complement of degree usually indicates a habitual or completed action, e.g.

他睡得很晚。

哈利念得很清楚。

带程度补语的动词谓语句，否定式要把"不"放在程度补语前边，不能放在动词前边。例如：

The negative form of this kind of sentence is constructed by placing the adverb 不 between the complement and the particle 得. Do not put the adverb 不 in front of the verb, e.g.

我写得不快。

他睡得不晚。

这种句子的正反疑问式是并列补语的肯定式和否定式。例如：

The affirmative-negative question is formed by putting the complement in the affirmative-negative form, e.g.

他睡得晚不晚？

马丁学得好不好？

2. 动词后带宾语和程度补语　Verbs with both an object and a complement of degree.

动词后如果有宾语又有程度补语时，必须在宾语后重复动词。词序如下：

主语——动词——宾语——重复动词——得——程度补语

When a verb takes both an object and a complement of degree, the verb should be reduplicated after the object. The word order is as follows:

Subject-verb-object-reduplicated verb-得-complement of degree

For example:

安娜念课文念得很清楚。

她回答问题回答得很对。

3. 前置宾语　Preposed object

为了强调宾语或者宾语比较复杂时，可以把宾语提到动词的前边或者主语的前边。带程度补语的句子如果有前置宾语，就不需要重复动词。例如：

An object can be put before the verb or the subject if the object is to be stressed or when it is a complicated one. When a sentence with a complement of degree contains a preposed object, the verb is not repeated, e.g.

她生词念得很好，课文念得不太熟。

老师的问题他回答得很对。

六、练习　Exercises

1. 用已给的词加上适当的形容词作带程度补语的句子：

Use the words given below to make sentences with the complement of degree, adding appropriate adjectives:

例 Example:

念　　　　　课文

他念课文念得熟不熟?

他念课文念得很熟。

(1) 起　　　　床

(2) 睡　　　　觉

(3) 跑　　　　步

(4) 踢　　　　足球

(5) 说　　　　汉语

(6) 打　　　　排球

(7) 翻译　　　句子

(8) 回答　　　问题

2. 根据课文回答问题:

Answer the questions according to the text:

(1) 哈利学习什么? 他学得怎么样?

(2) 早上他起得早吗? 他常在哪儿念课文? 课文念得熟不熟?

(3) 上午几点上课? 他什么时候来教

201

室？他来得早不早？

(4) 老师问问题，他回答得对不对？翻译句子翻译得怎么样？

(5) 下午他锻练身体吗？他跑得快不快？足球踢得怎么样？排球打得怎么样？

(6) 他晚上作什么？

(7) 他练习作得怎么样？汉字写得怎么样？

(8) 他睡得晚不晚？他几点睡觉？

(9) 星期日哈利作什么？

3. 根据实际情况回答问题：

Give your own answers to the following questions:

(1) 你学习什么？你学得怎么样？

(2) 你说汉语说得怎么样？汉字写得怎么样？

(3) 你常打球吗？常打什么球？你打球打得怎么样？

(4) 晚上你睡得晚吗？你几点睡觉？

（5）星期日你作什么？

4. 朗读然后抄写下面对话并标上调号：

Read and copy the following dialogue, marking proper tone-graphs above the characters:

A: 你是新同学吗？

B: 是，我是新同学，我叫马丁。

A: 我叫哈利。哪位老师教你们？

B: 白老师和丁老师教我们。我们学得很快，一天学一课。

A: 你的老师说汉语说得快不快？

B: 他们说得不太快，我们听得很清楚。

A: 你说汉语说得很好，你学得很不错。

B: 我说得不好。

汉字表 Table of Chinese Characters

1	得	彳	
		旱（ 日 旦 旦 早 旱 旱 ）	
2	来	一 一 二 平 平 来 来	來
3	跑	足	
		包（ ノ 勹 勹 勹 包 ）	

4	快	忄	
5	楚	夹（ㄱ ㄱ ㄢ 夹 ） 林（ 木 林 ）	
6	熟	疋（ 一 下 下 疋 疋 ） 孰（ 丶 一 亠 享 郭 孰 孰 ）	
7	翻	灬 番（ 丿 ㄑ ㄥ ㄥ 平 采 采 番 ）	
8	译	羽（ㄱ 丩 习 羽 羽 羽 ） 讠	譯
9	句	圣（ㄱ 又 圣 圣 圣 ） 丿 勹 句	
10	踢	𧾷	
11	足	易（ 丨 冂 日 日 月 丹 昜 易 ） 口	
12	球	𤴔（ 丿 ㇏ 止 𤴔 ） 王	
13	步	求（ 一 十 寸 寸 求 求 求 ） 止（ 丶 卜 止 止 ）	

		少	
14	娜	女	
		那	
15	认	讠	認
		人	
16	真	一 十 广 广 占 肖 肖 直 真 真	
17	慢	忄	
		曼 日	
		罒	
		又	
18	排	扌	
		非 (一 二 三 丰 ヲ 非 非 非)	
19	打	扌	
		丁	
20	错	钅	錯
		昔	
21	高	、 一 古 高 高 高	
22	兴	、 ` ` ㅛ 兴 兴	興

第二十一课　Lesson **21**

> 礼堂在图书馆西边。
> 学校前边是工厂。
> 桌子上有一些书。

一、替换练习　**Substitution Drills**

1. 你们学校的礼堂在哪儿?

   在食堂北边。

> 图书馆西边
> 办公楼南边
> 宿舍楼东边
> 图书馆和宿舍楼中间

2. 哈利在哪儿?

   哈利在里边。

丁文，	外边
马丁，	前边
安娜，	后边
地图，	上边
画儿，	下边

3. 桌子上有什么？

桌子上有一本词典。

床上，	一件衬衣
书架上，	很多外文小说
阅览室里 ，	画报和杂志
屋子里，	桌子和椅子

4. 北边是什么地方？
北边是工厂。

西边，	剧场
前边，	邮局
后边，	商店
礼堂西边，	食堂

5. 前边的剧场大不大？
前边的剧场不很大。

东边的邮局
西边的商店
后边的操场
里边的屋子

二、课文 Text

我 们 的 学 校

我们 的 学校离 清华 大学 不远，在 清
Wǒmen de xuéxiào li Qīnghuá Dàxué bù yuǎn, zài Qīng

华 大学 的 东边。学校里有 教学楼、办公
huá Dàxué de dōngbian. Xuéxiào li yǒu jiàoxué lóu, bàngōng

楼、图书馆楼和很 多 宿舍楼。
lóu, túshūguǎn lóu hé hěn duō sùshè lóu.

办公楼 的东边 是 教学楼。教学楼里
Bàngōng lóu de dōngbian shì jiàoxué lóu. Jiàoxué lóu li

有 很 多 教室， 还 有 两 个 电影厅：一个
yǒu hěn duō jiàoshì, hái yǒu liǎng ge diànyingtīng: yí ge

在 楼 上， 一个 在 楼 下。
zài lóushàng, yí ge zài lóuxià.

教学楼 南边 是 图书馆楼。宿舍楼 在 图
Jiàoxuélóu nánbian shì túshūguǎn lóu. Sùshè lóu zài tú

书 馆 楼 西边。礼堂 和 食堂 在 图书馆 和
shūguǎn lóu xībian. Litáng hé shítáng zài túshūguǎn hé

宿舍楼 中 间。宿舍楼 北边 有 两 个 操
sùshè lóu zhōngjiān. Sùshè lóu běibian yǒu liǎng ge cāo

场：一个 小 操 场，一个 大 操场； 大 操
chǎng: yí ge xiǎo cāochǎng, yí ge dà cāochǎng; dà cāo

场 在 小 操 场 的 北边。
chǎng zài xiǎo cāochǎng de běibian.

学 校 前边 有 一些 工 厂，后边 有 一
Xuéxiào qiánbian yǒu yì xiē gōngchǎng, hòubian yǒu yi

个 剧场， 南边 有 一个 邮局， 东 边 和 西边
ge jùchǎng, nánbian yǒu yí ge yóujú, dōngbian hé xībian

有 不 少 商 店。
yǒu bù shǎo shāngdiàn.

我们 学 校 有 很 多 外国 留学生，也
Wǒmen xuéxiào yǒu hěn duō wàiguó liúxuéshēng, yě

有 很 多 中 国 学 生。
yǒu hěn duō Zhōngguó xuésheng.

三、生词 New Words

1. 在 （动） zài there is/are
2. 礼堂 （名） lǐtáng auditorium
3. 食堂 （名） shítáng dining-hall, canteen
4. 北边 （名） běibian north
5. 西边 （名） xībian west
6. 办公 bàngōng to do office work
7. 楼 （名） lóu building
8. 南边 （名） nánbian south
9. 东边 （名） dōngbian east
10. 中间 （名） zhōngjiān middle
11. 里边 （名） lǐbian inside
12. 外边 （名） wàibian outside
13. 前边 （名） qiánbian front
14. 后边 （名） hòubian back
15. 上边 （名） shàngbian above
16. 下边 （名） xiàbian below, under
17. 里 （名） lǐ inside
18. 工厂 （名） gōngchǎng factory
19. 剧场 （名） jùchǎng theatre
20. 邮局 （名） yóujú post office

21.	教学		jiàoxué	to teach, teaching
22.	厅	（名）	tīng	hall
23.	楼上		lóu shàng	upstairs
24.	楼下		lóu xià	downstairs

补充生词　Additional Words

1.	银行	（名）	yínháng	bank
2.	洗衣店	（名）	xíyīdiàn	laundry
3.	理发馆	（名）	lǐfàguǎn	hairdresser's
4.	餐厅	（名）	cāntīng	dining hall
5.	浴室	（名）	yùshì	bathroom

四、注释　Notes

① 方位词　Words of location

表示方位的名词叫方位词，方位词有单音的，有双音的。双音的如"前边""后边""上边""下边""里边""外边"等；单音的如"里""外""上""下""前""后"等。双音的方位词可以加在别的名词后边，也可以单独用；单音的方位词主要是加在名词后边，不能单独用。

Place words are nouns used to show direction and position. Monosyllabic words of location like 里，外，上，下，前，后，etc. can only occur attached to other nouns, while disyllabic words of location such as 前边，后边，上边，下边，里边，外边，

etc. can be used either independently or together with other nouns.

五、语法 Grammar

1. 动词"在" Verb 在

"在"是介词，也是动词。动词"在"的宾语一般是表示处所的名词或代词。例如：

在 is both a preposition and a verb. The object of the verb 在 is usually a noun or pronoun indicating place, e.g.

安娜在哪儿？

老师不在家，他在学校。

如果"在"的宾语是指人的名词或代词，要在后边加"这儿"或"那儿"，使它表示处所。例如：

If the object of the verb 在 is a noun or pronoun referring to a person, it must take 这儿 or 那儿 after it to show location, e.g.

我的本子在老师那儿。

昨天他们都在我这儿。

2. "有"和"是"表示存在 有 and 是 indicating existence

动词"有"和"是"也可以表示存在。表示存在的"有"和"是"作谓语主要成分时，句子的词序是：

The verbs 有 and 是 can indicate existence. When they are used as the main constituent of the predicate, the word order of the sentence is as follows:

表示方位、处所的名词——"有"或"是"——存在的人或事物。例如：

Noun denoting position or place ——有 or 是——the person or thing that exists, e.g.

操场上有一件毛衣。

屋子里没有人。

宿舍前边是一个大操场。

桌子上是一本汉语词典。

用"有"时只表示某处存在着事物，用"是"时表示说话人已知某处存在着事物，而要进一步说明这事物是什么。

A sentence with 有 refers to the existence and/or location of an object or being; a sentence with 是 concerns its identity.

六、练习 Exercises

1. 用动词"在"、"有"、"是"填空：
   Fill in the blanks with 在，有 or 是：

   （1）北京大学＿＿＿清华大学西边。

   （2）书架上＿＿＿很多书，上边＿＿＿中文书，下边＿＿＿外文书。

   （3）这是我的宿舍。宿舍里＿＿＿床、桌子、椅子、书架和柜子。屋子里，东边＿＿＿床。桌子＿＿＿屋子中间，桌子后边＿＿＿两把椅子。柜子和书架都____屋子的西边。

(4) 他们学校____人民大学北边。学校里____很多楼，东边的____教学楼，西边的____宿舍楼。

2. 根据课文内容用方位词填空：

Fill in the blanks with appropriate words of location according to the text:

我们学校在清华大学____。学校____有很多楼。教学楼____是办公楼。图书馆楼在教学楼____，在宿舍楼____。宿舍楼和图书馆楼____是礼堂和食堂。学校里有两个操场，都在宿舍楼____。小操场在大操场____。

学校____有工厂、剧场、邮局和商店。学校____是邮局，____和____是商店。

3. 朗读下面对话：

Read aloud the following dialogues:

A：你们学校离哪个学校近？

B：我们学校离清华大学不远。

214

A：你们学校的教学楼在什么地方？

B：教学楼在图书馆楼北边，办公楼东边。

A：教学楼里只有教室吗？

B：不，教学楼里还有两个电影厅。

A：电影厅在楼上还是在楼下？

B：一个在楼上，一个在楼下。

A：你们的宿舍也在学校里边吗？

B：对，也在学校里边。我们的宿舍在操场南边。

A：你们在哪儿吃饭？

B：我们学校有食堂。学生食堂在宿舍楼东边，离宿舍不远。

A：你们在哪儿买东西？

B：学校外边有不少商店。星期日我们也常进城买东西。

A：你们学校离城里远吗？

B：我们学校离城里不近。

4. 根据下面的图用方位词说说各个地方的位置:

Explain the positions of the different places shown below, using words of location:

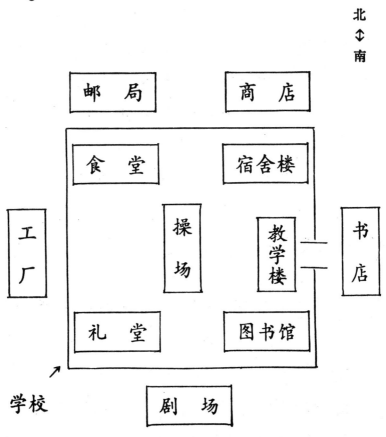

汉字表 Table of Chinese Characters

1	礼	礻									禮
		乚									
2	堂	兴									
		口									
		土									
3	食	丿	人	亼	今	仐	仐	食	食	食	
4	边	力									邊
		辶									
5	办	丁	力	劝	办						辦
6	楼	木									樓
		娄	米（丶 丶 丷 丷 半 米 米）								
			女								
7	间	门									間
		日									
8	前	丶	丷	丷	广	广	前	前	前	前	
9	后	丆	厂	斥	后						後
10	厂										廠

11	剧	居（ ⁻ ⁻ 尸 尸 居 居 ）		劇
		刂		
12	邮	由		郵
		阝		
13	局	⁻ ⁻ 尸 吊 局		
14	厅	厂		廳
		丁		

第二十二课　**Lesson 22**

我要借小说。
我不想进城。
你会不会说汉语？

一、替换练习　**Substitution Drills**

1. 你想进城吗？

   我不想进城，我想在家休息。

   去阅览室，看电视
   去商店，去操场
   参加比赛，看比赛
   回学校，去电影院

2. 你要借小说吗？

   不，我不想借小说，我要借杂志。

219

买，衬衣，毛衣	
看，画报，杂志	
复习，语法，课文	
打，篮球，排球	

3. 你会不会说汉语？

我会说汉语。
他会不会？
他不会。

说英语	说法语
打篮球	打网球
打乒乓球	踢足球

4. 你能翻译这个句子吗？
我能翻译。

些，生词	
篇，文章	
本，小说	

5. 明天你能跟我一起上街吗？

可以，我能跟你一起去。

去体育馆
去商店
参加足球比赛
去公园
去体育场

6. 这个词她会不会念？
这个词她会念。
这个词她不会念。

句子，翻译
汉字，写
问题，回答

二、课文　Text

借　　球

宿舍楼 前边 有 个 小 操场。这儿可以
Sùshè lóu qiánbian yǒu ge xiǎo cāochǎng. Zhèr kěyǐ
打篮球，可以打排球，也可以打网球。小
dǎ lánqiú, kěyǐ dǎ páiqiú, yě kěyǐ dǎ wǎngqiú. Xiǎo
操场 北边 有 个大操场，那儿可以踢足
cāochǎng běibian yǒu ge dà cāochǎng, nàr kěyǐ tī zú
球。
qiú.

哈利喜欢踢足球。下午四点半，他要去
Hālì xǐhuan tī zúqiú.　Xiàwǔ sìdiǎn bàn,　tā yào qù

操场，　丁文问他：
cāochǎng,　Dīng Wén wèn tā:

"哈利，你要去打篮球吗？"
Hālì,　　nǐ yào qù dǎ lánqiú ma?"

"不，我不想打篮球，我想踢足
"Bù,　wǒ bù xiǎng dǎ lánqiú,　wǒ xiǎng tī zú

球。你去吗？"
qiú.　Nǐ qù ma?"

"我要去打篮球。明天参加比赛，
"Wǒ yào qù dǎ lángqiú.　Míngtiān cānjiā bǐsài,

今天我们要一块儿练习。"
jīntiān wǒmen yào yíkuàir liànxí."

"你这儿有球吗？"
"Nǐ zhèr yǒu qiú ma?"

"没 有。可以去体育室借。"
"Méi yǒu.   Kěyǐ qù tǐyùshì jiè."

"体育室在哪儿？"
"Tǐyùshì   zài nǎr?"

"在 操 场 旁边 的屋子里。"
"Zài cāochǎng pángbiān de wūzi li."

"左边 的 还是 右边 的？"
"Zuǒbiande   háishì   yòubiande?"

"左边的。"
"Zuǒbiande."

"现在 能 借 吗？"
"Xiànzài néng jiè   ma?"

"可以借。"
"Kěyǐ jiè."

"好，谢谢你！"
"Hǎo,   xièxie nǐ!"

"不用 谢①！"
"Búyòng xiè!"

三、生词 New Words

1. 参加　（动） cānjiā　　　to take part in

2. 比赛 （名、动） bǐsài　　　match; to compete

3. 电影院 （名） diànyǐngyuàn　　cinema

4. 要	（能动）	yào	to want; must, should
5. 篮球	（名）	lánqiú	basketball
6. 会	（能动）	huì	to know how to
7. 网球	（名）	wǎngqiú	tennis
8. 乒乓球	（名）	pīngpāngqiú	table tennis
9. 能	（能动）	néng	can, to be able to
10. 篇	（量）	piān	*a measure word for literary works*
11. 文章	（名）	wénzhāng	article
12. 可以	（能动）	kěyǐ	may, can
13. 体育馆	（名）	tǐyùguǎn	gymnasium
14. 体育场	（名）	tǐyùchǎng	stadium
15. 球	（名）	qiú	ball
16. 喜欢	（动）	xǐhuan	to like
17. 一块儿	（副）	yíkuàir	together
18. 体育室	（名）	tǐyùshì	physical education office
19. 旁边	（名）	pángbiān	side
20. 左边	（名）	zuǒbian	left
21. 右边	（名）	yòubian	right
22. 不用	（副）	búyòng	there is no need to

224

补充生词 Additional Words

1. 游泳	yóu yǒng	to swim
2. 滑冰	huá bīng	to skate
3. 游泳衣	yóuyǒngyī	swimming suit
4. 游泳裤	yóuyǒngkù	swimming trunks

四、注释 Notes

①不用谢

当别人对你说"谢谢"时，你可以回答"不用谢"或者"不谢"。也可以回答"不客气 (bú kèqi)"。

When somebody says 谢谢 to you, you may reply with 不用谢，不谢，or 不客气 (bú kèqi).

五、语法 Grammar

1. 能愿动词 Auxiliary verbs

能愿动词是动词中的一类。能愿动词经常用在动词或形容词前，表示愿望或可能等。

Auxiliary verbs precede the main verb or adjective and serve to show the speaker's wish, or to indicate possibility, etc.

（1）要   能愿动词"要"表示愿望。例如：

The auxiliary verb 要 is used to express desire，e.g.

我要买一些衣服。

我要借一本小说。

表示这种意思的"要"，否定时用"不想"。如：

The negative form of 要 used in this sense is 不想，e.g.

你要借小说吗？

——我不想借小说，我要借一本杂志。

"要"还可以表示需要、应该。如：
要 also means "need" or "should", e.g.

宿舍楼里要安静。

表示这种意思的"要"，否定时用"不用"。如：
The negative form of 要 used in this sense is 不用，e.g.

这个词要翻译吗？

——这个词很容易，不用翻译。

（2）　会　能愿动词"会"表示通过学习掌握一种技能。如：

The auxiliary verb 会 means "know how to", i.e. to have a certain skill acquired through practice, e.g.

他会说英语。

我不会打网球，你教我，好吗？

（3）　能　能愿动词"能"可以表示具备某种能力，有时跟"会"意思相同。如：

The auxiliary verb 能 means "be able to". Sometimes, 能 is interchangeable with 会, e.g.

他能说英语。（可以用"会"）

"能"还可以表示恢复某种能力或达到某种水平，"会"没有这个意思。如：

能 can also indicate that a certain ability has been regained or has reached a certain degree whereas 会 does not have this meaning, e.g.

他病(bìng, illness) 好了，能上课。

你会游泳(yóuyǒng, swim) 吗？（可以用"能"）

——我会。

你能游八百米(mǐ, metre)吗？（不能用"会"）

——我不能。

（4） 可以　能愿动词"可以"表示环境或情理上许可。"能"也有这个意思。如：

The auxiliary verb 可以 is used to indicate that permission is granted after circumstances,or conditions have been considered. 能 also conveys this meaning, e.g.

我们可以从这儿走吗？（可以用"能"）

那个大操场可以打篮球吗？

——不能打篮球，只能踢足球。

2. 用能愿动词的注意事项

Points for attention when using the auxiliary verbs

（1） 除个别情况外，能愿动词只能用"不"否定。

The auxiliary verbs can only be negated by 不 except in some exceptional cases.

（2） 带能愿动词的句子，正反疑问形式如下：

The affirmative-negative question form of this kind of sentence is as follows:

你会不会说汉语？

你会说汉语不会？

（3）能愿动词一般不能重叠，不能带动态助词"了""着""过"。

Auxiliary verbs cannot be reduplicated, nor can they take the aspectual particles 了 (le), 着 (zhe), 过 (guo).

六、练习　Exercises

1. 把下面的陈述句改成疑问句：

Change the following statements into questions:

例 Example：

我会打排球。

你会打排球吗？

你会不会打排球？

（1）丁文会打乒乓球。

（2）他会说德语。

（3）我会说汉语。

（4）他哥哥想看足球比赛。

（5）明天小王不能参加网球比赛。

（6）现在可以借球。

（7）我要借篮球。

（8）宿舍前边的操场可以踢足球。

2. 用"想"、"要"、"能"、"可以"填空：
Fiil in the blanks with 想，要，能，可以：

安娜＿＿进城买衣服，她问马丁：

"马丁，你＿＿不＿＿跟我一块儿进城"？

"你＿＿进城作什么？"

"我＿＿买一件毛衣。"

"我也＿＿进城买衣服，可是我今天不＿＿去"。

"为什么今天不＿＿去"？

"今天下午我＿＿参加足球比赛。我们明天一起去＿＿吗？"

"＿＿，明天下午我们一块儿去。"

3. 根据课文回答问题：
Answer the questions according to the text:

(1) 小操场在哪儿？那儿可以打什么球？

(2) 大操场在哪儿？那儿能踢足球吗？

(3) 谁喜欢踢足球？

(4) 下午四点半，哈利要去哪儿？他去那儿作什么？

（5）丁文想打什么球？

（6）丁文有球吗？

（7）什么地方可以借球？现在能借吗？

（8）体育室在哪儿？

4. 把下面的对话改成短文：

Change the following dialogue into a passage of continuous prose:

A：你喜欢打乒乓球吗？

B：我喜欢，但是我不太会打，我很想学。

A：马丁会不会打乒乓球？

B：会，他打得很好，他要教我。

A：马丁会不会打网球？

B：不太会，他打得不太好。我很喜欢打网球，常常参加比赛。我要教马丁打网球。

A：那很好，马丁教你打乒乓球，你教他打网球。

B：是的。

汉字表　Table of Chinese Characters

1	参	ㄥ ㄙ 竺 产 夫 参		參
2	加	力		
		口		
3	比	一 上 卜 比		
4	赛	宀		賽
		共 (一 二 卝 卄 並 共 共)		
		贝		
5	篮	⺮		籃
		监		
6	会	人		會
		云 (一 二 テ 云)		
7	网	丨 冂 冈 冈 网 网		網
8	乒	丘 (一 厂 斤 斤 丘)		
		ノ		
9	乓	丘		
		丶		
10	能	ㄥ ㄙ ⺼ 自 育 肻 能 能 能		

231

11	篇	⺮
		扁
12	章	立
		早
13	以	㇄ ㇆ 以 以
14	喜	一 十 土 吉 吉 吉 壴 壴 壴 查 喜 喜
15	欢	又	歡
		欠（ ノ ㇇ ㇒ 欠 ）
16	旁	丶 一 ⺊ ⺊ 丙 立 产 商 㡀 旁
17	左	𠂇 （ 一 𠂇 ）
		工
18	右	𠂇
		口

词 汇 表
Vocabulary

A

安静	（形）	ānjìng	quiet	14
安娜	（专）	Ānnà	Anna	20

B

八	（数）	bā	eight	1
把	（量）	bǎ	a measure word for things with a handle	11
爸爸	（名）	bàba	papa, father	8
白	（形）	bái	white	15
百	（数）	bǎi	hundred	16
班	（名）	bān	class	12
半	（数）	bàn	half	17
办公		bàn gōng	to do office work	21
报	（名）	bào	newspaper	9
北边	（名）	běibian	north	21
北海公园	（专）	Běihǎi Gōngyuán	Beihai Park	19
北京大学	（专）	Běijīng Dàxué	Beijing University	13
北京电影	（专）	Běijīng Diànyǐng	Beijing Film Institute	19

233

学院		Xuéyuàn		
北京体育	(专)	Běijīng Tǐyù	Beijing Academy of	19
学院		Xuéyuàn	Physical Education	
北京图	(专)	Běijīng Túshū	Beijing Library	19
书馆		guǎn		
北京语	(专)	Běijīng Yǔyán	Beijing Language	9
言学院		Xuéyuàn	Institute	
本	(量)	běn	*a measure word for* *books*	11
本子	(名)	běnzi	note-book, exercise-book	9
比赛	(名、动)	bǐsài	match; to compete	22
别的	(代)	biéde	other	16
不错	(形)	búcuò	not bad	20
不用	(副)	búyòng	there is no need to	22
不	(副)	bù	no, not	2

C

彩色	(名)	cǎisè	colour	15
参加	(动)	cānjiā	to take part in	22
操场	(名)	cāochǎng	playground	15
差	(动)	chà	to be short of	17
常	(副)	cháng	often	14
常常	(副)	chángcháng	often	14

234

衬衣 〔衬衫〕	（名）	chènyī[chènshān]	shirt	16
城	（名）	chéng	city, downtown	19
吃	（动）	chī	to eat	17
床	（名）	chuáng	bed	11
词典	（名）	cídiǎn	dictionary	10
从	（介）	cóng	from	19

D

打（球）	（动）	dǎ(qiú)	to play (a ball game)	20
大	（形）	dà	big, large	12
大使馆	（名）	dàshǐguǎn	embassy	19
大夫	（名）	dàifu	doctor	8
但是	（连）	dànshì	but	12
德语	（名）	Déyǔ	German	18
的	（助）	de	*a structural particle*	10
得	（助）	de	*a structural particle*	20
弟弟	（名）	dìdi	younger brother	8
地方	（名）	dìfang	place	19
地图	（名）	dìtú	map	10
点（钟）	（量）	diǎn(zhōng)	o'clock	17
电视	（名）	diànshì	T.V.	13
电影	（名）	diànyǐng	film	14

235

电影院	（名）	diànyǐngyuàn	cinema	22
丁文	（专）	Dīng Wén	Ding Wen, a person's name	9
东边	（名）	dōngbian	east	21
东西	（名）	dōngxi	thing	16
都	（副）	dōu	all	8
锻练	（动）	duànliàn	to do physical exercises	17
对	（形）	duì	right, correct	20
对不起		duì bu qǐ	sorry, excuse me	16
多	（形）	duō	many, numerous	12
多少	（代）	duōshao	how many, how much	16

E

二	（数）	èr	two	5

F

发音	（名）	fāyīn	pronunciation	12
法国	（专）	Fǎguó	France	15
法文	（名）	Fǎwén	French	10
法语	（名）	Fǎyǔ	French	18
翻译	（动）	fānyì	to translate, to interpret	20
分	（量）	fēn	fen, one tenth of jiao	16
分	（量）	fēn	minute	17

附近	（名）	fùjìn	nearby	19
复习	（动）	fùxí	to review	13

G

干净	（形）	gānjìng	clean	12
钢笔	（名）	gāngbǐ	pen	9
高兴	（形）	gāoxìng	glad	20
哥哥	（名）	gēge	elder brother	8
个	（量）	ge	*a measure word*	11
给	（动）	gěi	to give	16
跟	（介）	gēn	with	19
工厂	（名）	gōngchǎng	factory	21
工程师	（名）	gōngchéngshī	engineer	9
公里	（量）	gōnglǐ	kilometre	19
工人	（名）	gōngrén	worker	8
公园	（名）	gōngyuán	park	18
工作	（动、名）	gōngzuò	to work, work, job	8
贵姓		guìxìng	May I ask your name?	7
柜子	（名）	guìzi	wardrobe	11
国	（名）	guó	country	7

H

哈利	（专）	Hālì	Harley	7
还	（副）	hái	in addition, else, still	16

还是	（连）	háishì	or	15
汉语	（名）	Hànyǔ	Chinese	4
汉字	（名）	Hànzì	Chinese character	5
好	（形）	hǎo	good, well	1
好看	（形）	hǎokàn	good-looking	19
号	（名）	hào	date, day of the month (colloq.)	18
和	（连）	hé	and	8
黑	（形）	hēi	black	15
黑白	（名）	hēibái	black-and-white	15
很	（副）	hěn	very	2
红	（形）	hóng	red	15
后边	（名）	hòubian	back	21
画报	（名）	huàbào	pictorial	9
还	（动）	huán	to return	14
画儿	（名）	huàr	picture, painting	11
黄	（形）	huáng	yellow	15
回	（动）	huí	to return, to go back	19
回答	（动）	huídá	to answer	13
会	（动）	huì	to know how to	22
或者	（连）	huòzhě	or	17

J

几	（代）	jǐ	how many, several	8

家	（名）	jiā	family	8
件	（量）	jiàn	*a measure word for clothes, luggage, etc.*	15
教	（动）	jiāo	to teach	18
叫	（动）	jiào	to call	7
教室	（名）	jiàoshì	classroom	10
教学		jiàoxué	to teach, teaching	21
街	（名）	jiē	street	19
节	（量）	jié	*a measure word*, period, length	17
姐姐		jiějie	elder sister	11
借	（动）	jiè	to borrow, lend	14
今年	（名）	jīnnián	this year	18
今天	（名）	jīntiān	today	13
近	（形）	jìn	near	19
进	（动）	jìn	to enter, to go	19
九	（数）	jiǔ	nine	3
旧	（形）	jiù	old	12
剧场	（名）	jùchǎng	theatre	21
句子	（名）	jùzi	sentence	20

K

看	（动）	kàn	to look, to watch, to read	13

可是	（连）	kěshì	but	15
可以	（能动）	kěyǐ	may, can	22
课	（名）	kè	lesson	13
刻	（量）	kè	quarter	17
课文	（名）	kèwén	text	13
口	（量）	kóu	*a measure word for wells, family member, etc.* , mouth	8
块〔元〕	（量）	kuài[yuán]	*yuan, the basic unit of Chinese money*	16
快	（形）	kuài	quick, fast	20

L

来	（动）	lái	come	20
蓝	（形）	lán	blue	15
篮球	（名）	lánqiú	basketball	22
老师	（名）	lǎoshī	teacher	6
离	（介）	lí	from	19
里	（名）	lǐ	inside	21
里边	（名）	lǐbian	inside	21
礼堂	（名）	lǐtáng	auditorium	21
练习	（名）	liànxí	exercise, practice	13
两	（数）	liǎng	two	11
零	（数）	líng	zero	16

240

留学生	（名）	liúxuéshēng	students studying abroad	9
六	（数）	liù	six	3
楼	（名）	lóu	building	21
楼上		lóushang	upstairs	21
楼下		lóuxià	downstairs	21
录音		lù yīn	record	5

M

妈妈	（名）	māma	mama, mother	8
马	（专）	Mǎ	Ma, *a surname*	10
马丁	（专）	Mǎdīng	Martin	20
吗	（助）	ma	*an interrogative particle*	2
买	（动）	mǎi	to buy	16
慢	（形）	màn	slow	20
忙	（形）	máng	busy	2
毛〔角〕	（量）	máo[jiǎo]	*mao(jiao)*, one tenth of *a yuan*	16
毛衣	（名）	máoyī	sweater, pullover	15
没	（副）	méi	not, no	11
没关系		méi guānxi	It doesn't matter.	15
妹妹	（名）	mèimei	younger sister	8
们	（尾）	men	*a plural suffix*	13
明年	（名）	míngnián	next year	18

| 明天 | （名） | míngtiān | tomorrow | 18 |
| 名字 | （名） | míngzi | name | 7 |

N

哪	（代）	nǎ	which	7
哪儿	（代）	nǎr	where	6
那	（代）	nà	that	6
那儿	（代）	nàr	there	6
难	（形）	nán	difficult	4
男	（名）	nán	male	12
南边	（名）	nánbian	south	21
呢	（助）	ne	*a modal particle*	3
能	（能动）	néng	can, be able to	22
你	（代）	nǐ	you (s.)	1
你们	（代）	nǐmen	you (pl.)	2
年	（名）	nián	year	18
念	（动）	niàn	read	5
您	（代）	nín	polite form of 你	7
努力	（形）	nǔlì	hard	12
女	（名）	nǚ	female	12

P

| 排球 | （名） | páiqiú | volleyball | 20 |
| 旁边 | （名） | pángbiān | side | 22 |

跑	（动）	pǎo	to run	20
跑步		pǎobù	to run (as an exercise)	20
朋友	（名）	péngyou	friend	9
篇	（量）	piān	*a measure word for literary works*	22
票	（名）	piào	ticket	15
乒乓球	（名）	pīngpāngqiú	table tennis	22

Q

七	（数）	qī	seven	3
起	（动）	qǐ	to get up	20
起床		qǐchuáng	to get up, to get out of bed	17
铅笔	（名）	qiānbǐ	pencil	9
钱	（名）	qián	money	16
前边	（名）	qiánbian	front	21
清楚	（形）	qīngchu	clear	20
清华大学	（专）	Qīnghuá Dàxué	Qinghua University	19
球	（名）	qiú	ball	22
去	（动）	qù	to go	6
去年	（名）	qùnián	last year	18

R

人	（名）	rén	person	7

人民大学	(专)	Rénmín Dàxué	People's University	19
人员	(名)	rényuán	(member of) personnel	14
认真	(形)	rènzhēn	conscientious	20
日	(名)	rì	date, day of the month	18
容易	(形)	róngyi	easy	12

S

三	(数)	sān	three	5
商店	(名)	shāngdiàn	shop	15
上	(名)	shàng	up, above	15
上（课）	(动)	shàng(kè)	to attend (class), to give (a lesson)	17
上（街）	(动)	shàng(jiē)	to go (shopping)	19
上边	(名)	shàngbian	above	21
上午	(名)	shàngwǔ	morning	17
少	(形)	shǎo	a little, a few	12
身体	(名)	shēntǐ	body, health	3
什么	(代)	shénme	what	4
生词	(名)	shēngcí	new word	5
十	(数)	shí	ten	6
时候	(名)	shíhou	time	17
食堂	(名)	shítáng	dining-hall, canteen	21
是	(动)	shì	to be	6
世界	(名)	shìjiè	world	10

售货员	（名）	shòuhuòyuán	shop assistant	16
书	（名）	shū	book	9
书架	（名）	shūjià	bookshelf	11
熟	（形）	shú	fluent, skilled	20
谁	（代）	shuí	who	10
睡觉		shuì jiào	sleep	17
说	（动）	shuō	to say, to speak	13
四	（数）	sì	four	5
宿舍	（名）	sùshè	dormitory	11

T

他	（代）	tā	he, him	4
她	（代）	tā	she, her	9
他们	（代）	tāmen	they, them	4
她们	（代）	tāmen	they, them	9
太	（副）	tài	too	12
踢	（动）	tī	to kick, to play(football)	20
体育	（名）	tǐyù	physical education	18
体育场	（名）	tǐyùchǎng	stadium	22
体育馆	（名）	tǐyùguǎn	gymnasium	22
体育室	（名）	tǐyùshì	physical education office	22
天	（名）	tiān	day	18

天安门	（专）	Tiān'ānmén	Tian'anmen Square	6
听	（动）	tīng	to listen, to hear	5
厅	（名）	tīng	hall	21
同学	（名）	tóngxué	classmate, schoolmate	12
同志	（名）	tóngzhì	comrade	14
图书馆	（名）	túshūguǎn	library	14

W

外边	（名）	wàibian	outside	21
外国	（名）	wàiguó	foreign country	11
外文	（名）	wàiwén	foreign language	14
玩儿	（动）	wánr	to have fun	18
晚	（形）	wǎn	late	20
晚饭	（名）	wǎnfàn	supper	17
晚上	（名）	wǎnshang	evening	13
王	（专）	Wáng	Wang, *a surname*	6
网球	（名）	wǎngqiú	tennis	22
位	（量）	wèi	*a measure word for persons*	6
为什么		wèishénme	why	19
文化	（名）	wénhuà	culture	18
文章	（名）	wénzhāng	article	22
问	（动）	wèn	to ask	13

246

问题	（名）	wèntí	question	13
我	（代）	wǒ	I, me	2
我们	（代）	wǒmen	we, us	2
屋子	（名）	wūzi	room	12
五	（数）	wǔ	five	1
午饭	（名）	wǔfàn	lunch	17

X

西边	（名）	xībian	west	21
喜欢	（动）	xǐhuan	to like	22
下课	（动）	xià(kè)	(of class) to be over	17
下边	（名）	xiàbian	below, under	21
下午	（名）	xiàwǔ	afternoon	17
现在	（名）	xiànzài	now	17
想	（动）	xiǎng	to want, to think	15
小	（形）	xiǎo	small, little	12
小说	（名）	xiǎoshuō	novel	14
小王	（专）	Xiao Wáng	Xiao (Little) Wang	15
些	（量）	xiē	some	14
写	（动）	xiě	to write	5
谢谢	（动）	xièxie	to thank	3
新	（形）	xīn	new	12
星期	（名）	xīngqī	week	18

星期日	(名)	Xīngqīrì	Sunday	18
星期天	(名)	Xīngqītiān	Sunday (colloq.)	18
休息	(动)	xiūxi	to take a rest	18
学	(动)	xué	to learn, to study	20
学生	(名)	xuésheng	student	7
学习	(动)	xuéxí	to learn, to study	4
学校	(名)	xuéxiào	school	10
学院	(名)	xuéyuàn	institute, college	9

Y

颜色	(名)	yánsè	colour	15
样子	(名)	yàngzi	shape, appearance	19
要	(动)	yào	to want	16
要	(能动)	yào	should; want; must	22
也	(副)	yě	also, too	3
一	(数)	yī	one	1
衣服	(名)	yīfu	clothes	16
一共	(副)	yígòng	altogether	16
一块儿	(副)	yíkuàir	together	22
颐和园	(专)	Yíhéyuán	Summer Palace	19
椅子	(名)	yǐzi	chair	11
一起	(副)	yìqǐ	together	14
英国	(专)	Yīngguó	Britain	7
英文	(名)	Yīngwén	English	10

英语	（名）	Yīngyǔ	English	9
邮局	（名）	yóujú	post office	21
有	（动）	yǒu	to have; there is/are	8
有时候		yǒushíhou	sometimes	13
有意思		yǒuyìsi	interesting	15
友谊商店	（专）	Yǒuyì Shāngdiàn	Friendship Store	19
右边	（名）	yòubian	right	22
语法	（名）	yǔfǎ	grammar	18
预习	（动）	yùxí	to preview	13
圆珠笔	（名）	yuánzhūbǐ	ballpoint pen	9
远	（形）	yuǎn	far	19
月	（名）	yuè	month	18
阅览室	（名）	yuèlánshì	reading-room	14

Z

杂志	（名）	zázhì	magazine	10
在	（介）	zài	in, on, at	9
在	（动）	zài	there is/are	21
再见	（动）	zàijiàn	good-bye	16
脏	（形）	zāng	dirty	12
早	（形）	zǎo	early	20
早饭	（名）	zǎofàn	breakfast	17
早上	（名）	zǎoshang	morning	17

怎么样	（代）	zěnmeyàng	how	16
张	（专）	Zhāng	Zhang, *a surname*	6
张	（量）	zhāng	*a measure word for paper, tables, beds, mouths, etc.*	11
张力	（专）	Zhāng Lì	Zhang Li, *a person's name*	13
找	（动）	zhǎo	to give (sb.) change	16
这	（代）	zhè	this	6
这儿	（代）	zhèr	here	6
支	（量）	zhī	*a measure word for songs, pens or things in the shape of a shaft*	11
只	（副）	zhǐ	only	14
纸	（名）	zhǐ	paper	9
中国	（专）	Zhōngguó	China	7
中间	（名）	zhōngjiān	middle	21
中文	（名）	Zhōngwén	Chinese	10
中午	（名）	zhōngwǔ	noon	17
桌子	（名）	zhuōzi	desk, table	11
足球	（名）	zúqiú	football	20
昨天	（名）	zuótiān	yesterday	18
左边	（名）	zuǒbian	left	22
作	（动）	zuò	to do, to make	5

责任编辑　贾寅淮
封面设计　李士伋

基 础 汉 语 课 本
修 订 本
第 一 册
＊

©华语教学出版社
华语教学出版社出版
（中国北京百万庄路 24 号）
邮政编码 100037
北京外文印刷厂印刷
中国国际图书贸易总公司发行
（中国北京车公庄西路 35 号）
北京邮政信箱第 399 号　邮政编码 100044
1994 年（大 32 开）第一版
1997 年第二次印刷
（汉英）
ISBN 7-80052-134-6 / H · 128 （外）
02340
9 - CE - 2442PA